改訂２版

これだけは知っておきたい

わかる・書ける・使える

保育の基本用語

漢字練習シート付

長島和代 編

石丸るみ・亀﨑美沙子・木内英実

改訂２版 はじめに

本書は、教育保育実習担当教員が数人集まり雑談している中から生まれました。話の内容は、実習では実習日誌の作成が必要とされますが、実習生がこの記録作成に大変苦労しているとのことでした。本来の子どもや保護者とのかかわり、保育者からの学び以前に、漢字や専門用語がわからずに使えなかったり、書けないことから挫折してしまう学生が多いとのことです。そして、それらが原因で素質はあるものの、保育者への道をあきらめてしまう学生も出てきます。それはとても残念なことで、何とか記録作成がスムーズに行えるよう手助けをする方法はないかと話し合っているうちに、私たちでワークブックをつくれないだろうかという話に発展し、この本が誕生しました。

まず始めに、全員で検討会を持ち、次のような方針を決めました。

① 保育者として知っていたほうがよい漢字を書き取り（ワーク）形式で学習できるようにすること。

② 漢字は書けても意味がわからないことのないよう、基本的な用語には言葉の解説を入れること。

③ 使い方がわからないのでは、覚えた言葉も使うことができないため、文章例の中で使い方を学習できるようにすること。

この方針に沿って本の内容を検討し、その結果、以下のことが決まりました。

・漢字の書き取りは、書き取りのみと書き取りに用語解説を入れるものの２種類をつくる。

・文章例は日誌形式とし、日誌は４月から３月までと幼稚園や保育所、認定こども園、施設等の年齢の組み合わせで、いろいろな場合の事例を提示していく。

なお、本書の構成に当たっては次の点に配慮いたしました。

① わかりやすい構成をする。

② 具体的な保育の内容から学ぶことで、多くの知識が自然と身に付く構成にする。

③ 実習ですぐに役立つようにする。

④ 保育者として就職した後も役に立つものとする。

初めての実習では誰でもわからないことがたくさんあると思います。実習日誌を書くときなど手元に置き、ぜひ参考にしてください。そしてこの度、最新の情報を取り入れ「改訂２版」として発刊いたしました。本書が、みなさんの学習に役立つことを祈っています。

最後になりましたが、本書企画よりアドバイスいただき、細部にわたるまでていねいに編集してくださいました、わかば社の田中直子さん、川口芳隆さんに心よりお礼申し上げます。

2021 年 10 月

編者　長島 和代

もくじ

PART 1 実習日誌の漢字を書いてみよう

PART 2 保育の基本用語の意味を確認をしよう

PART 3 保育用語 漢字練習シート

保育の基本用語　さくいん

本書PART 2「保育の基本用語の意味を確認しよう」に掲載の保育の基本用語のさくいんです。

＜さ行＞

＜た行＞

＜な行＞

＜は行＞

＜ま行＞

＜や行＞

＜ら行＞

✻ 本書の使い方 ✻

本書は、基本的な保育用語の意味を理解した上で、さまざまな保育記録や実習日誌を漢字で正しく書くことができるようにと願い作成されたものです。

✻ PART 1　実習日誌の漢字を書いてみよう

PART 1では、教育・保育実習で実習生が必ず書く実習日誌を例に漢字の書き取りの確認をします。保育用語の漢字の書き取りが正しくできているか、またその保育用語の意味を理解し、正しく使用することができているかを保育記録の例文から確認していきましょう。

4～7月は実習日誌内に直接書き込み、同じ漢字も繰り返し練習しましょう。8月以降は実習日誌の欄外で書き取りを行います。8～9月は送り仮名を示してありますが、10月以降は送り仮名も文字数も示してありませんので、送り仮名まで正しく書き取りましょう。12～3月は解答欄に書き取る文字も示していませんので、書き取る文字を確認しながら解答していきましょう。

なお、解答欄は一字一字のバランスを考えて書き取れる □□ タイプのものと、自分でバランスを取りながら書き取る □ タイプのものを用意してあります。

✻ PART 2　保育の基本用語の意味を確認しよう

PART 2では、保育の場で使用される基本的な保育用語の意味を解説しています。それぞれの保育用語の意味を確認していきましょう。その漢字を正しく書くことができるか、意味を確認しながら漢字も書き取ってみましょう。

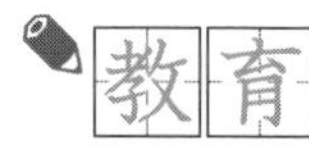

正しく書いてみよう！

✻ PART 3　保育用語 漢字練習シート

PART 3では、保育の場で使用する例文も確認しながら漢字の書き取り練習をしましょう。課題には実習や保育の場で実際に作成する「お礼状」「園便り」などを例に取り上げています。

✻ 本書内の漢字・仮名づかいについて

本書でのPART 1、PART 3の漢字の書き取りは、保育でよく使用される用語を漢字で正しく書けることを目的としています。

本書の書き取り練習や問題に掲載した保育用語には、常用漢字ではない漢字や読み方も出てきます。一般的には平仮名で表記したり、別の言葉に言い換える場合もありますが、保育用語として知ってもらいたいという意味で、本書では常用外の漢字もそのまま掲載しています。

また、実習日誌など記載の際、漢字で書ける用語をすべて漢字で書かなければならないというものではありません。養成校・実習園の指導内容に従いましょう。ただし、知っている漢字（用語）は、読みやすさを考慮しながら、なるべく漢字で表記するようにしましょう。

なお、PART 1およびPART 3での実習日誌などの課題と本文内の漢字・仮名づかいは、書籍としての読みやすさを考慮し統一はしていません。

✻ 解答について

本書では解答は掲載していません。わからない漢字は辞書などで調べ確認しましょう。

✻ 本書の囲み記事について

本書では下記のような囲み記事を掲載しています。ぜひ参考にしてください。

column

各項目に関連する事項や確認しておきたい事項、また、保育の場で大切にしてほしい事項などを掲載しています。

check

各用語に関する追記事項や、知識として理解してほしい事柄をコンパクトに掲載しています。

保育者を目指す学生として必要な知識

保育とは

そもそも保育とは何でしょうか。親（保護者）の子育て（育児）と幼稚園教諭や保育士、保育教諭の行う保育とはどこが違うのでしょうか。親は特別に勉強した人のほかは子どもの細かい発達について勉強したわけでもなく、子ども時代に獲得しておくべき能力を計画的に身に付けさせる方法もよくわからないでしょう。また、この週はどのように過ごす、この月は何をねらって子どもを育てる、今年は何歳なのでこのような力を育てる（培う）などの計画を立てて育児をしているわけではありません。

それに比べ幼稚園や保育所、認定こども園の保育では、子どもの発達に合わせその年は何をするか、その月は何をするか、その週は何をするか等を計画し、子どもが必要な能力を獲得できるようねらいと内容を決めて、日々を過ごしていきます。その保育内容は、幼稚園教育要領（以下、要領）や保育所保育指針（以下、指針）、幼保連携型認定こども園教育・保育要領（以下、教育・保育要領）に示されています。要領や指針、教育・保育要領に示されている幼児期に身に付けるべき５つの領域（健康・人間関係・環境・言葉・表現）を意識しつつ、どのようなことを身に付けることが必要かを考えながら保育を進めます。そして、それらの力をバランスよく育てるためには何をしたらよいかを考えながら、それぞれの時期に合わせながら全体的な計画を立て、それに沿って子どもを育てていきます。

子どもがそのときどきを幸せに過ごし、将来も幸せに暮らしていくために必要な力や心、体の発達などを獲得できるよう援助・支援するのが保育なのです。

保育方針を大切に

保育を行う上でもっとも大切なことは、どのような子どもを育てたいかという保育方針です。保育者は保育を行うとき、この保育方針に沿って保育を行います。つまり、保育方針は、保育という営みの土台かつ背骨であり、方針がしっかりしていないとよい保育はできないのです。国も日本の子どもたちを育てるため、先にあげた要領や指針、教育・保育要領を示しており、各園はこれらに従って子どもの教育・保育を行っています。そして、この枠の中で自分の園らしさを出した保育方針を決めていきますが、各園の掲げる保育方針により、育つ子どものタイプも異なってきます。

保育の中身は環境設定により変わるといわれますが、保育方針という根幹の違いは子どもの育ちに大きな影響を与えることをしっかりと理解しておきましょう。実際には園の方針だけでなく、家庭の養育方針、その後の学校教育の方針、その子の持つ資質で一人一人変わっていきますが、乳幼児期の経験は子どもの中に（見えない形で）残っていきます。保育の方針は子どもの人生に大きな影響を与えることを忘れないようにしましょう。

保育内容とは

園で行う保育内容とはどのようなものでしょうか。要領や指針、教育・保育要領に示される保育内容は「ねらい」と「内容」で構成されており、ねらいは乳幼児期の子どもに身につけてほしい心情・意欲・態度を示した事項で、内容はこれらのねらいを達成するために保育者が行うべき事項を具体的に示したものです。そして、これらを見る視点として５領域（健康・人間関係・環境・言葉・表現）が示されています。

これまで要領や指針、教育・保育要領では、３歳以上の保育内容として５領域が示されており、指針および教育・保育要領に示される３歳未満児については、発達の特性から各領域を明確に区分せず、各領域を配慮した保育内容として基礎的事項ととも示されておりましたが、2017（平成29）年改訂の指針および教育・保育要領では、乳児（０歳児）の視点として「健やかに伸び伸びと育つ」「身近な人と気持ちが通じ合う」「身近なものと関わり感性が育つ」の３つが示され、１歳以上３歳未満児については３歳以上とは異なる記述での５領域のねらいと内容が示されました。子どもの年齢や発達を踏まえた保育内容の充実がより図られたといえるでしょう。

また、これら５領域などの視点は小学校以上の教科のように個別にとらえられるものではなく、各視点が子どもの遊びなどで相互に関連を持ちながら総合的にとらえ、保育を展開していくことが重要です。保育者は、要領や指針、教育・保育要領に示される保育内容を十分に理解した上で、日々の保育において、その園やクラス、その子ども、その時期にふさわしい保育内容であるかどうかを検討しながら保育を行っていくことが大切です。

これからの保育で大切なこと

上述のように、2017（平成29）年改訂（2018（平成30）年施行）の要領および指針、教育・保育要領で示された保育内容について説明しましたが、そのほかにも今回の改訂で示された内容から、これからの保育で重視される事柄のいくつかについて確認しておきましょう。

①幼保小連携の推進

要領および指針、教育・保育要領の総則に、「幼児期の終わりまでに育ってほしい姿」として、次の10の項目が示されました。

(1) 健康な心と体
(2) 自立心
(3) 協同性
(4) 道徳性・規範意識の芽生え
(5) 社会生活との関わり
(6) 思考力の芽生え
(7) 自然との関わり・生命尊重
(8) 数量や図形、標識や文字などへの関心・感覚
(9) 言葉による伝え合い
(10) 豊かな感性と表現

小学校学習指導要領の総則にも「……幼児期の終わりにまでに育ってほしい姿を踏まえた指導を工夫することにより、幼稚園教育要領等に基づく幼児期の教育を通して育まれ

た資質・能力を踏まえて教育活動を実施し、児童が主体的に自己を発揮しながら学びに向かうことが可能となるようにすること」とあり、幼稚園や保育所、認定こども園での子どもの育ちを踏まえた上で、小学校教育を行うことが明確に示され、幼小連携（→ p.88、参照）がより具体的に進むための方策が見られます。

②カリキュラム・マネジメントの重要性

要領および教育・保育要領の総則の教育課程（→ p.54、参照）や全体的な計画（→ p.54、参照）の編成で「カリキュラム・マネジメント」（→ p.54、参照）という言葉が示されました。これは教育保育に関する計画（教育課程や全体的な計画、指導計画など）は編成するだけではなく、計画の作成から実施、評価までの全体をとらえていくということです。そして、教育課程や全体的な計画の編成はこのカリキュラム・マネジメントを留意して行い、保育の質の向上を努めるように示されました。指針には「カリキュラム・マネジメント」という言葉は使われていませんが、総則の「3　保育の計画及び評価」で同様の内容が示されています。

そのほかにも、特別な支援を必要とする子どもへの配慮や障害児保育に関する工夫、保育者の専門性の向上、子育て支援の推進などについても記述が増え、現在の保育の状況に合わせた内容が示されました。

時代に応じて、要領や指針、教育・保育要領の内容は変わっていきますが、教育や保育について示されているこれらの示す内容を適切に理解するためにも必要なことは、基本的な保育用語の意味を理解しておくことです。示される言葉の意味自体がわからなければ、どのような内容で保育すればよいかもわかりません。では、次にこれらの保育用語を正しく使うこと（書く）ことの大切さについて具体的な保育場面から見ていきましょう。

保育用語を正しく使う（書く）ことの大切さ

保育の場では保育記録を始め、日常的な打ち合わせやケース会議、保育の研究発表会などでも、保育用語の共通認識が大切になります。そのためには保育用語をよく学習しておく必要があります。

たとえば、日常的な保育の中で使われる例では、朝「3歳児クラスの今日の保育内容は自由遊びです」と報告されたとします。保育者なら、聞いただけで子どもの動きと保育者がやるべきことがわかります。自由遊びですから子どもは室内や園庭で伸び伸びと自由に遊びます。保育者は今月の保育目標を頭に思い浮かべながら、ねらいに合った遊びを展開できるよう配慮します。たとえばねらいが「友達と楽しく遊ぶ」ならば室内では、ごっこ遊びなどができるようままごとの道具を置いておくとか、お姫様ごっこができるように金紙の冠や風呂敷を置いておくなど、子どもたちが友達と遊べるような環境を整えます。その場合は、お絵描きや折り紙など一人遊びの道具は片付けておきます。お絵描きの道具を出しておくなら、一人用の画用紙はしまい、大きな模造紙をおくなどみんなで一緒に遊ぶ環境設定をします。また、園庭には砂遊びの道具や電車ごっこ用の長縄を円に結んだものなどを置いておきます。子どもたちはそのようなものを使って自分たちで考えながら自由に遊ぶでしょう。このように自由遊びだからといって、好きに遊べばよいと放任するわけではありません。

つまり保育目標に合った環境を保育者は整えていくのです。「自由遊び」という言葉の中には、それぞれの年齢に合った発達やねらいを理解し、それに合わせた環境を保育者がどのように準備するかまでを含んでいるのです。専門用語は一言でも奥が深いのです。

また、育児は長期間、親（保護者）が行うのが一般的ですが、保育は長くて５年、短ければ１年間ほどの子どもとの付き合いです。つまり、自分が受け持った年のことをしっかりと次の担任に伝えることが必要になります。言葉というのは伝え手と受け手の理解が異なると食い違いが出ます。それを、防止するためにも、保育者みなが約束事として理解している保育用語を正しく使うことが必要となります。つまり、記録を付けるほうも読むほうも保育用語を正しく理解していることが求められます。

子どもの様子が正しく伝わらないと次の担任が対応を誤ることがあります。たとえば「第一次反抗期のためＨちゃんはだめ、ばか、いやを多用し保育者を困らせることが多い」という文章を読んで第一次反抗期の特質・大切さを理解していないとＨちゃんは単なるわがままな扱いにくい子どもとなってしまいます。第一次反抗期の特質・大切さを理解していればＨちゃんは正常な自我の発達を遂げ、もうしばらくすれば、聞き分けのよい自分でものを考えられる子どもとなるであろうと見通せるはずです。

このように、専門用語一つの中に多くのことを含んでいますので、伝える能力と読み取る能力を保育者は要求されているのです。専門用語の意味を理解し、わかりやすい言葉で正しく伝え、また正しく受け取ることができるようになることが、専門職として必要な力なのです。

幼稚園・保育所・認定こども園での実習体験

幼稚園や保育所、認定こども園での実習体験はとても大切なことです。人は初めての体験はその人の中に強く印象付けられます。どの保育者も初めての実習のことは、よく覚えているようです。そのとき受けた指導はその人の保育に大きな影響を与えることも多く、特に実習での楽しい思い出がその後の保育者生活を支えてくれるようです。

実習から帰ってくると学生が大きく成長するということを先生方からよく聞きます。楽しかった実習の思い出が、その後の学校での学習も楽しいものにしてくれるようです。本来、実習は保育者を目指すみなさんにとって子どもと触れ合い、夢である保育の仕事を実際に行う素晴らしい経験の場であるはずです。実習で学んだことが学習に役立ち、学習したことが実習の場で役立つという循環が自然に起きることが望ましいと思います。そのためにも漢字が書けない、文章が書けない、専門用語がわからない、使えないなどでいやな思い出ができてしまうことはとても残念です。漢字、専門用語、文章の書き方をしっかり勉強して有意義な実習にしていきましょう。

幼稚園や保育所、認定こども園の実習は、段階を追って進めるように組まれています。始めは観察実習です。子どもや保育者の様子をよく観察し、養成校で学んだことなどを思い出しながら考察します。次の段階は参加実習です。保育者の指導を受けながら、保育に参加し経験を積みます。最後が実習の総仕上げである責任実習です。自分で実際に計画を立て保育を行います。これら３つの実習段階では具体的には次のようなことを行います。

① 観察実習

観察実習で求められるのは、当然のことながら観察する力です。つまり、見る力と理解する力が求められます。たとえば子ども理解のための観察では、子ども同士のかかわり・保育者とのかかわり、一人遊びの様子などを見て記録を付けます。これは、あった事実をそのまま記録します。次に記録にある事実をよく読み養成校で学んだことと照らし合わせて、その事実が起こった背景や原因を考えます。

② 参加実習

実際に保育に入っての実習です。まずは、子どもと慣れることですので、子どもとたくさん遊んでみてください。そして、保育者の動きに注意しましょう。保育者がなぜそのようなことをしたのかに気づき、わからないときは質問しましょう。実際に保育に参加することから学ぶ自分自身の気づきや反省も大切です。

③ 責任実習

自分が責任を持って、その時間の保育を行います。一日の一部分だけ、責任を持って保育を行う部分実習と登園から降園まで責任を持つ責任実習（一日実習・全日実習とも呼びます）があります。いずれの場合も指導計画（指導案）を立てて、計画に沿って保育をします。反省はとても大切ですので、保育者や園長からの助言を謙虚に聞き、反省すべきところは、反省して次に生かします。

保育者や子どもの呼称について

子どもの呼び方ですが、それぞれの実習先で決められた呼び方で呼びましょう。幼稚園や保育所、認定こども園などによって呼称はさまざまですので、それぞれの実習先の呼び方を確認し、それに従いましょう。保育者の呼び方も実習先によって違います。幼稚園は教諭ですので、○○先生と呼ぶことが多いようです。保育所でも幼児クラスは○○先生と呼ぶことが多いように思います。しかし、園全体で保育者を○○さんと名前で呼ぶところもありますし、幼児クラスは先生、乳児クラスは名前など、園によって呼び方もさまざまです。また、保護者（父母）の呼び方も園により違います。「お父さん・お母さん」と呼ぶ場合や子どもが呼んでいる呼び方に合わせ「パパ・ママ」などと呼ぶこともあります。いずれにせよその園の呼び方に合わせるのが実習生としての基本です。

子どもとの関係づくりの第一は、笑顔と名前を呼ぶことから入ります。いつも呼ばれている呼称で子どもを呼ぶと子どもはうれしそうに反応します。実習生がよく今日の実習のねらいの欄に「子どもの名前を覚える」と書いていますが、それはとても大切なことです。子どもと信頼関係を築くためにも、まず名前を覚えましょう。子どもの名前を間違えて呼んだり、日常と違う呼び方で呼んだりすると、子どもは怒ったように訂正を求めたりします。大人でも子どもでも自分の呼ばれ方はとても大切なものです。呼称には十分注意しましょう。また、実習生も先生と呼ばれることがあります。「先生と呼ばれて緊張した」「先生と呼ばれてうれしかった」「先生と呼ばれ責任の重さを感じた」など、実習日誌によく書かれています。これも呼称が人に与える影響の一つと考えられます。呼称の中にその人に求められている役割が含まれているからです。

さらに、記録として書くときの留意点ですが、保育者・幼稚園教諭・保育士・保育教諭などの使い分けを間違えないようにしてください。「保育者」は保育を行う人の総称ですので幼稚園教諭・保育士・保育教諭のすべての呼称に使います。幼稚園で保育をする人は「幼稚園教諭」または「教師」と呼ばれます。「保育士」は保育所で保育を行う人を指します。くれぐれも、幼稚園で保育士、保育所で教諭や教師を使うことのないよう注意しましょう。また、認定こども園で「幼稚園教諭」免許と「保育士」資格の両方を有する保育者を「保育教諭」と呼びます（→ p.87、認定こども園、参照）。

保育の場での保育者の呼称について

- 幼稚園……………保育者・先生・幼稚園教諭・教師
- 保育所……………保育者・先生・保育士
- 認定こども園……保育者・先生・保育教諭

なお、施設実習での呼称は、個人名に「さん」を付けて呼ぶことが、一般的です。幼稚園や保育所、認定こども園で「年中さん」、「年長さん」と子どもを総称で呼ぶことがありますが、施設では「利用者の方」、「利用者さん」のほか、通所施設の場合は「ゲストさん」など施設ごとに呼び名を決めている場合もあります（→ p.31、column、参照）。

column 「児童の最善の利益」と保育

「児童の権利に関する条約」のことを、通称「子どもの権利条約」と呼んでおり、国際連合が1989年に採択し、翌年に発効、日本は1994年に批准しました。子どもの権利条約は、①生存・保護・発達に関するもの、②児童の最善の利益、③児童の意見表明や思想・良心の自由等に大別され、子どもの受動的権利だけでなく、能動的権利を認めています。ここに示される「児童の最善の利益」は子どもにとって将来的、長期的視点から子どもにとって最大限の権利が保障されることに配慮しなければならないとする基本理念であり、保育において重要な原理、原則です。

この条約は、それまでの保護されるだけの子ども観から、子ども自らが権利の人格の主体者であることを示した意義深いものです。そして「児童の最善の利益」は、子どもの専門職である保育者のもっとも中心となる大切な理念であり、常に求めていきたい内容です。この保障されている子どもの権利を子どもの傍らにいる保育者は、日々の保育活動の中で尊重し育んでいく努力と、子ども自身にも伝えていくことも子どもの権利として求められています（外務省ホームページ「児童の権利条約（児童の権利に関する条約）」参照）。

PART 1

実習日誌の漢字を書いてみよう

実習日誌に使われる用語で漢字の書き取りの練習をしましょう。
漢字を覚えるだけでなく、その用語がどのように使われるのかも確認していきましょう。

※ なお、本書に掲載している実習日誌例は実習日誌でよく使用される用語や覚えてほしい漢字の確認のために作成されたものです。紙面の関係上、実際の実習日誌より簡略化されています。実習日誌に記載する文章の一例として参考にしてください。

4月 保育所 2歳児

次の実習日誌のカタカナを漢字に直してみよう。
同じ単語も繰り返し練習しよう。

4月20日（○）雨	2歳児クラス　コスモス　組	男10名　女8名　欠席2名

今日の実習のねらい	・保育所の1日の流れを知る。 ・子どもたちの名前を覚え（1. キョウミ）のある物や遊びを知る。 ・保育者が子どもたちにどのように言葉を掛け援助しているのかを学ぶ。

時間	子どもの活動	保育者の援助と留意点	実習生の動き・気付き
8：30	○順次（2. トウエン） ・自由遊び ・（3. ガング）や絵本などを自分で選び遊びを始める。 ・身体に（4. ホッシン）がある子どもがいる。	・「おはようございます」と（7. ホゴシャ）や子どもに（8. アイサツ）をし、（9. ショクイン）間の伝達事項を伝え合う。 ・（10. チョウレイ）に参加し園全体の伝達事項を知る。	・（21. トウエン）してきた子どもや（22. ホゴシャ）に（23. アイサツ）をする。 ・子どもと一緒に人形などで遊んだり「パトカーだよ」と教えてくれる子どもとパトカーのための道路を作る。
9：15	○トイレに行く。 ・自分のパンツが嬉しくて保育者に見せる。 ・パンツに出た便を教えられない子どももいる。	・（11. シュッケツボ）で（12. トウエン）の人数とアレルギー児の人数を確認し給食室に知らせる。 ・別室に行き（13. ホッシン）のある子どもの熱を（14. ケンオン）し様子をみる。	・保育者と共にトイレを見守ったりお尻を（24. フ）いてあげ、脱ぎ着も手伝う。 ・実習生と一緒にいたがる子どもに「トイレから出たら必ず行くね」などと説明し、一緒にいたいと思う気持ちを嬉しく思い受け止めてあげたいと思った。
9：30	○おやつ ・自分のお（5. テフ）きがわかり「これはAちゃんのだよ」と他児の物も理解し教える姿がある。	・トイレの援助を行いながら（15. シッシン）の有無や（16. ケンコウ）状態に注意を払う。	
10：00	○園庭で異年齢児と好きな場所で安心して遊ぶ。 ・広い場所への（6. カイホウ）感からか嬉しくて走り出す子どもがいる。	・自分でやりたい子とやって欲しい子がいるので、その状況に応じて保育者がやってあげたり、自分でしようとする気持ちを褒めて意欲に（17. ツナ）げていく。 ・（18. ホッシン）のある子の（19. ビネツ）は（20. ゲネツ）させず家庭に連絡	・うんちが出てしまった子どものお尻を洗ってあげる。 ・新しいパンツを見つけて嬉しそうな子どもの気持ちに共感し、一緒に喜ぶことが「今度はトイレでしたいな」という気持ちの励ましになると思った。 ・トラブルになった様子や理由を丁寧に聞いても

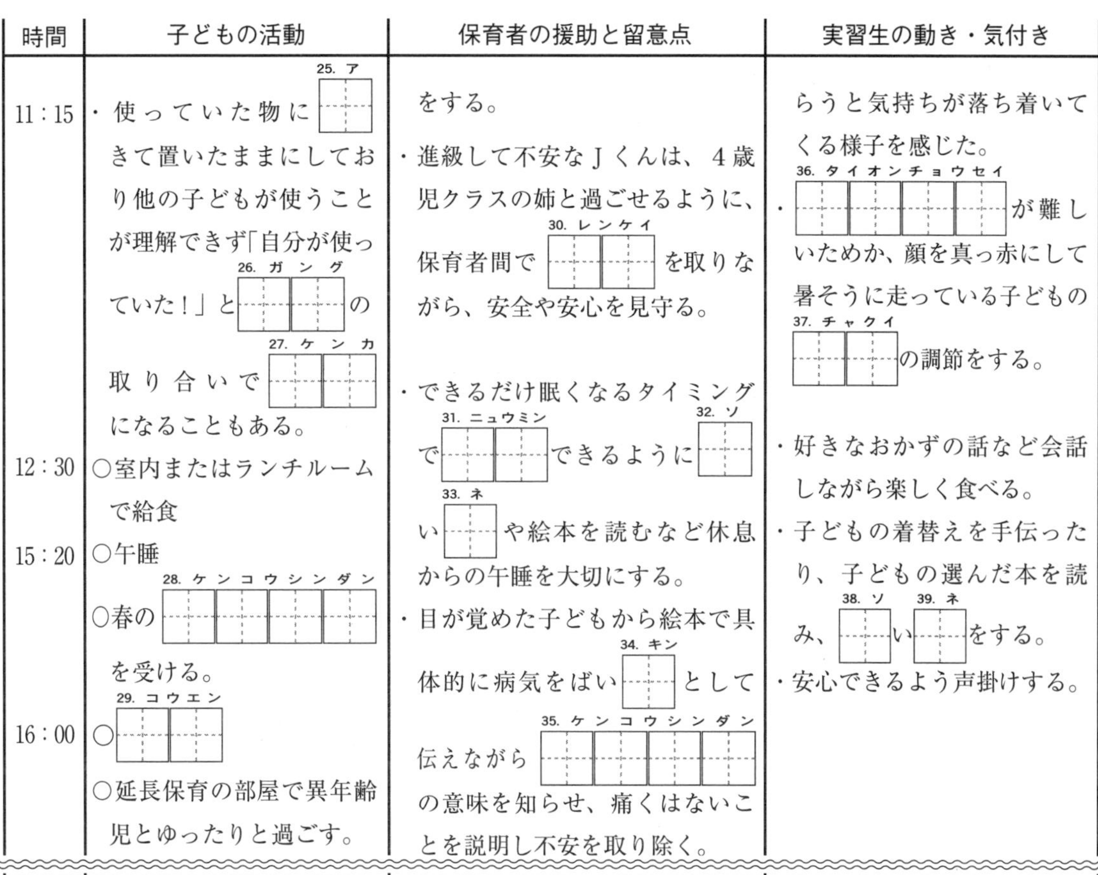

時間	子どもの活動	保育者の援助と留意点	実習生の動き・気付き
11：15	・使っていた物に[25. ア]きて置いたままにしており他の子どもが使うことが理解できず「自分が使っていた！」と[26. ガング]の取り合いで[27. ケンカ]になることもある。	をする。 ・進級して不安なＪくんは、4歳児クラスの姉と過ごせるように、保育者間で[30. レンケイ]を取りながら、安全や安心を見守る。	らうと気持ちが落ち着いてくる様子を感じた。 ・[36. タイオンチョウセイ]が難しいためか、顔を真っ赤にして暑そうに走っている子どもの[37. チャクイ]の調節をする。
12：30	○室内またはランチルームで給食	・できるだけ眠くなるタイミングで[31. ニュウミン]できるように[32. ソ]い[33. ネ]や絵本を読むなど休息からの午睡を大切にする。	・好きなおかずの話など会話しながら楽しく食べる。 ・子どもの着替えを手伝ったり、子どもの選んだ本を読み、[38. ソ]い[39. ネ]をする。 ・安心できるよう声掛けする。
15：20	○午睡 ○春の[28. ケンコウシンダン]を受ける。	・目が覚めた子どもから絵本で具体的に病気をばい[34. キン]として伝えながら[35. ケンコウシンダン]の意味を知らせ、痛くはないことを説明し不安を取り除く。	
16：00	○[29. コウエン] ○延長保育の部屋で異年齢児とゆったりと過ごす。		

感想・反省

朝ごはんを食べてこない[40. ケッショクリツ]が高い園とうかがっており、朝のおやつのおかわりをしたがる子どもが多く考えさせられました。新入園児に乳児院にいた[41. ヨウイク]面の不安な家庭や[42. カカンショウ]とネグレクトの家庭からという[43. キョクタン]な背景を持つ入園者が多くいることをうかがっていましたが、確かに朝から[44. ケワ]しい表情を浮かべていて子どもに厳しい言葉を浴びせている[45. ホゴシャ]がいました。保育者が近づき話し掛けるとほっとしたように穏やかな笑顔になる様子が印象的でした。まずは、働く[46. ホゴシャ]の気持ちを受け止めていくことの大切さと共に、その[47. シンライカンケイ]を作ることの大切さ重要さも感じました。今日は延長保育時間の様子も見せていただきました。遅くなった母親が[48. キゲン]が悪くなった子どもに[49. ジュニュウ]行為をしている様子に気付いた3歳の姉が、指を吸いながら母の服をいじりながら甘えていると、保育者がやさしく声を掛けその姉を抱っこしてあげていました。私は心から良かったなと感じ[50. ヨウゴ]という言葉の大切な意味をその保育から見させていただきました。

5月

幼稚園 3歳児

次の実習日誌のカタカナを漢字に直してみよう。
同じ単語も繰り返し練習しよう。

5月10日（○）［1. テンコウ］ 晴れ	3歳児クラス スミレ 組	男12名 女12名 欠席0名

今日の実習のねらい	・年長児との園外活動の様子や［2. ハイリョ］・［3. リュウイテン］などの［4. ジッサイ］を学ぶ。

時間	子どもの活動	保育者の援助とリュウイテン	実習生の動き・気付き
8：30	○保護者と共に登園 ○家から持ってきた［5. ハイザイ］を置き場に置く。	・持ち物などを確認する。 ・園外［13. サンポ］ノートへの記入と手伝いの保護者への説明をする。	・登園してきた一人一人の目の高さになって「おはよう」と［24. アイサツ］をし、保護者にも［25. アイサツ］をする。手伝いの保護者には保育者と共にお礼を伝える。
9：00	○保育室に集合 ・遊びたい場所についての考えを言い確認する。 ・ペアの年長児が迎えにくる。	・［14. キュウゴ］用品の場所、［15. サンカクキン］や［16. キュウキュウ］セットの確認をする。 ・何度か探検に行った場所で子どもの［17. ケイケン］を通して［18. コウドウハンイ］は少しずつ広くなり、［19. キケンカショ］もわかり始めているが、子どもと決めた遊び場所と［20. ケイロ］を再度確認する。	・家からたくさん［26. ハイザイ］を［27. ジサン］してきた子どもを手伝い、アトリエの棚に分別する。［28. マチガ］った場所に置くと「そこじゃないよ」と教えてくれる。
9：15	○［6. ボウシ］を［7. カブ］って［8. ウワバ］きを［9. ハ］き替え外へ出る。		
9：30	○てるてるぼうずを下げた［10. ウンテイ］に集合 ・「晴れたね」「てるてるぼうずのおかげだね」など言葉を交わす。 ○園長先生から［11. タンゴ］の［12. セック］についての話を聞く。	・昨夜室内のロッカーや棚を移動し［21. カンキョウ］構成を大きく変えたことを子どもたちに説明する。 ・［22. ボウシ］の置き場所がいつもと違っていることを知らせ、いつも置いている場所に［23. シュウカンテキ］に取りに行ってしまう子どもに声を掛ける。	・どこに置くかがわかり、おかしいことや［29. マチガ］いを知らせてくれることを「すごいね。ありがとう」と伝え、子どもの主体的な気付きを大切にしたいと思った。 ・ペアの年長児のMくんは1人でぽつんとしていたTちゃんにやさしく声を掛けると、Tちゃんは始めは首を振っていたが、無理に誘わず近くのコマを回して見せるうちにMくんと行動を共にするように

時間	子どもの活動	保育者の援助とリュウイテン	実習生の動き・気付き
10：30 11：30 12：45 14：00	○ペアの年長児に手をつないでもらい出発 ・たくさんのこいのぼりが見える土手で（30. ベントウ）□□を食べる。 ・土手でてんとうむしを見つけ年長児に手の平にのせてもらう。 ・迎えにくるまで絵の具で絵を描いたり、絵本を見たりして過ごす。 ・（31. ジュウジツ）□□した園外保育の様子を迎えにきた保護者に話す。	・何に気をつけて歩けば良いかを子どもたちに教えてもらうような方法で確認していく。 ・まっすぐな場所、曲がり角、（32. カイダン）□□、（33. オウダンホドウ）□□□□など場所によって立ち位置を変え安全に気を配る。 ・子どものトラブルにも（34. レイセイ）□□に（35. コウテイテキ）□□□にとらえることで、子ども自らが（36. カイケツ）□□していくような言葉掛けをする。 ・思い思いの場所にシートが広げられるよう手伝う。 ・絵の具で絵を描く子どもたちの作品を前もって準備していた（37. カンソウダナ）□□□へ入れていく。	なった。 ・年長児は（38. カイダン）□□では年少児を前にしたり、歩くペースを気づかったりと行動している。 ・しかし年少児がＹくんと手をつなぎたくないと言うと、皆が不安な表情になった。「どうしたの？」と聞くと手に石を持っていて手をつなげないということだった。担任の先生は「確かにそうね」と年少児に共感し、年少児の思いをＹくんにも伝えていた。するとＹくんは「反対に持つ」と自ら逆の手で石を持つことを（39. テイアン）□□し持ち直した。そして（40. ナットク）□□した様子で、年少児と手をつなぎ歩き始めた。

感想・反省

２年という（41. ネンレイ）□□差にペアとなる年長児の存在の大きさを感じるできごとを見ることができました。入園してまだ１か月しか経たない３歳児のＴちゃんにとって母親が一緒にいない不安は大きいはずです。それを年長児のＭくんは、得意なコマを手の平や狭い台の上などにのせて（42. タク）□みに次々と回して見せる中で、始めは不安そうな様子を見せていたＴちゃんが（43. ジョジョ）□□に変わっていく様子を見ることができました。園という大きな（44. シュウダン）□□生活に初めて入ったＴちゃんのこれからの豊かな（45. ニンゲンカンケイ）□□□□の始まりを見るようでとても（46. カンゲキ）□□しました。「どうなるか、じっくり見守ってご（47. ラン）□なさい」とおっしゃっていただいた（48. シュニン）□□の先生からの温かい言葉をこれからも大切にできるような保育者になりたいと思いました。本当にありがとうございました。また、朝、（49. ヒロ）□ってしばらく手に握り大切にしていた石も、保育者が子ども自ら気付けるよう年少児の思いを伝えることで、（50. カイテキ）□□に手をつないで歩けるよう、反対の手に石を持つことを自分で考えた子どもの姿を見ることができました。

6月 保育所 1歳児

次の実習日誌のカタカナを漢字に直してみよう。
同じ単語も繰り返し練習しよう。

6月15日（○）雨	1歳児クラス　ツキ　組	男5名　女5名　欠席1名	
今日の実習のねらい	・生活の様子や子どもの発達を知り、[1. テキセツ]な援助について学ぶ。		
時間	子どもの活動	保育者の援助と留意点	実習生の動き・気付き
8：30 9：15 9：30 10：00	○紫陽花を抱っこで見せてもらったりそっと触ってみる。 ○雨上がりの[2. エンテイ]で遊ぶ。 ・自分の[3. ナガグツ]がわかり自分から履こうと[4. セッキョクテキ]な子どもがいる。 ・[5. ナガグツ]で水溜りに入って遊ぶ。 ・[6. コウキシン]いっぱいで[7. エンシャ]の裏にいたかたつむりの[8. ビミョウ]な動きや体の変化を年長児に見せてもらう。 ・シャベル、型などを使って砂場や[9. エンテイ]で遊ぶ。 ・[10. エンチョウ]先生からお茶をもらう。 ・保育者に甘えたくなる。 ・甘えられない子どもが甘えてる子どもにやきもちをやいて叩いたりする子	・[11. ツユ]の季節を感じさせる紫陽花を子どもたちに見せながら、室内に飾る。 ・シャワーの準備をする（タオルとおむつなど[12. キガえ]セット）。 ・[13. カテイ]からの[14. ケンコウ]カードで子どものシャワーや[15. モクヨク]の可否を確認する。体調の不安な子どもの[16. ケンオン]をする。 ・昼に近づくと、日差しが少しずつ強くなるので[17. ダッスイショウ]を防ぐためお茶を[18. スイトウ]で持っていき、[19. エンテイ]の子どもたちの[20. スイブンホキュウ]をする。 ・抱っこしながら遊んで欲しい子どもの気持ちを[21. ジュヨウ]しながら抱っこして遊ぶ。 ・甘えたい気持ちを出せない[22. ショウキョクテキ]な子どもの	・ただ花を飾るだけでなく保育者が[23. ニオい]をかいで見せたり「きれいでしょ」と全体の[24. フンイキ]を知らせることが季節感などの感性を育てるように感じた。 ・子どもが室内に戻ったらシャワーや食事ができるようにテーブルや[25. イス]をセットし、エプロン、お[26. テフき]も出しておく。 ・子どもが[27. ナガグツ]を自分で履こうとする[28. イヨク]的な気持ちを大切にする。 ・[29. チャクボウ]を確認する。 ・子どもと一緒に砂場や[30. エンテイ]にできた水溜りで遊ぶ。砂を口に入れようとした子どもがいて[31. アセ]ってしまった。子どもの[32. キソ]的な発達の姿を理解しておくことの大切さを

時間	子どもの活動	保育者の援助と留意点	実習生の動き・気付き
	もいる。 ・甘えたい気持ちを気付いてもらい［33. ジュヨウ］してもらう。	気持ちを引き出していく。 ・遊びに満足した子どもから、足を洗い室内に入れる。「きれいになってさっぱりしたね」と言葉を通して［34. カイテキ］さと［35. セイケツ］感を知らせる。	学んだ。 ・山を一緒に作り、上手にできたことを［41. ホめる］。
11：15	・室内に戻る。 ・「ちっちでる」と言葉で知らせ、トイレに行く。	・［36. イヨク］のある主体的な子と援助を必要とする子に合わせ保育者間で声を掛け対応する。	・汚れてしまった衣服の［42. キガえ］を手伝う。 ・自分でできたときは「やったー！」「良かったね」と声を掛けることは自信や［43. イヨク］に繋がると思った。 ・おむつを交換する。トイレに行く子どもを見守り手伝う。
12：30	○昼食 ・スプーンで食べるが、こぼしたり上手にすくえないことも多い。 ・手づかみで食べる。 ・食事中に吐く子どもがいる。	・食事中、［37. オウト］した子どもへ［38. ジンソク］に対応する。 ・安心できるように声を掛けたり吐いた子どもの背中をさする。 ・［39. オウト］した場所の移動、消毒と［40. カンキ］をする。	・［44. セッケン］をつけて水道はお湯にして爪、腕まできれいに洗う。 ・［45. ハイゼン］を手伝う。 ・子どもの体調の変化に気を配り、急変したときの保育者間の協力の大切さがわかった。

感想・反省

食事中に［46. オウト］した子どもはもともと腸に問題があり［47. エイヨウセッシュ］に配慮の必要な子どもとのことでした。保護者も最近［48. ベンピ］ぎみで心配されていて、朝は［49. ケイコウヤク］を飲ませてから登園してきたそうです。薬のせいかたくさんの［50. ゲリ］もおむつに出ていました。吐いたあと顔は青白く［51. スイジャク］しているように見えたため心配でした。でも［52. カンゴシ］に抱かれ［53. ケンオン］し、絵本を読んでもらい、［54. ヤカン］からお茶をもらうときには、みるみる元気が［55. ワいて］きたようで、［56. ニギやか］なおしゃべりが聞こえ、本当にほっとしました。子どもが［57. オウト］しようとしたとき担任の先生がその子をじっと［58. ギョウシ］しているのを［59. グウゼン］、見ることができました。食べ始めから様子がおかしいことを担任の先生は［60. チョッカン］的に気付き注意して見ていたそうです。今の私にはまだ難しいですが、いつか先生のように子どもの体調や気持ちの変化にもすぐに対応できるようになりたいと思います。

7月
こども園 5歳児

次の実習日誌のカタカナを漢字に直してみよう。
同じ単語も繰り返し練習しよう。

7月8日（○） 晴れ	5歳児クラス　ヒマワリ　組	男13名　女12名　欠席0名

今日の実習のねらい	・5歳児クラスの子どもたちへの保育者の［1. ヨウゴ］面の配慮を学ぶ。 ・延長保育の子ども、通常保育の子どもの過ごし方の違いや様子を知る。

時間	子どもの活動	保育者の援助と留意点	実習生の動き・気付き
8：30	○順次登園。 ・［2. イネンレイジ］の子どもと園庭や室内で遊ぶ。 ・全員の登園が終わる。	・［8. キンリン］の竹林からもらった竹をクラスの出入り口に飾る。 ・［9. シイク］動物の世話と［10. サイバイ］している朝顔への水やりを子どもとする。	・前日までに子どもがプレゼントしてくれた折り紙などの［18. セイサク］物を付けた［19. タナバタ］飾りを［20. ヘキメン］に［21. ソウショク］する。
9：15	・転んで［3. ケガ］をして泣く子、心配して気づかう子、正義感から怒る子などがいる。	・［11. ナワトび］の置き忘れから、［12. キケン］についての話し合いを子どもとする。	・園庭で子どもたちと鬼ごっこをする。 ・子どもが片付けなかった［22. ナワトび］で足を引っ掛けて転び、［23. ヒザ］を［24. ケガ］した子どもの手当てを保育者と手伝い、［25. キケン］についての話し合いに参加する。
9：30	○歌「［4. タナバタ］」を歌う。 ○遊びのコーナー ①［5. タナバタ］飾り	・コーナーに分かれて取り組む子どもを援助する。 ①［13. タナバタ］飾りの［14. セイサク］の続き ・飾りを作れない乳児のために話し合いながら、乳児の喜ぶものは何かの情報集めを手伝う。	
10：00	・願い事の［6. タンザク］作り ・保育者に乳児の様子を聞いたり、見て絵に描いたりする子がいる。 ②カレンダー作り ・グループに分かれ自分の月を書く。グループを越え全体に気を配る子どもがいる。	②カレンダー作り ・すでに12か月の分担に分かれているが、教えてもらっている子、マスの大きさを考えず作り直しをしている子など一人一人の様子を見ながら言葉掛けをしたり、子どもと共に考えていく。 ・［15. フダン］、［16. ショウキョクテキ］な子どもが力を［17. ハッキ］できる	・［26. タナバタ］飾りを作るための折り紙のストックがなく、何もしていなかったYちゃんと一緒に倉庫に取りに行く。 ・材料を見ているうちに、作りたいと［27. ソウサク］への［28. イヨク］が湧いてきたようだった。
11：15	・［7. カガミモジ］になる子は正しく書けるHちゃ		

時間	子どもの活動	保育者の援助と留意点	実習生の動き・気付き
12：30 14：00	んに確認してもらう。 ○ランチルームへ移動（昼食の準備） ・29. ベントウ ［　　］の子どもは持って移動する。 ○給食の 30. ハイゼン ［　　］ ○ 31. ハミガき ［　　］ ○帰りの準備 ・子どもと移動する。 ・静かに遊びを楽しみながらのんびりと過ごす。	場面では特に他児に紹介する（文字や数字を 32. カガミモジ ［　　］にならずに書けるなど）。 ・子ども自ら 33. ハイゼン ［　　］を手伝うが、特にアレルギー食には注意し保育者間でも確認してから 34. ハイゼン ［　　］をする。 ・疲れた身体を休め 35. キュウソク ［　　］できるようにする。 ・詩や絵本、36. ドウワ ［　　］を読む。	・文字に興味がある子どもは多いが、正しく書ける子どもはまだ少ない。 ・話し合いを通し自分の意見や他の意見を聞き、他の子どもの良さや考えを知り、納得するまで話し合い、相手の良さを認めていく姿があった。 ・延長保育時間に給食室の 37. ショクセンキ ［　　］の音が気になっている1歳児を抱っこし、見せようとする年長児の姿を見た。

感想・反省

昨年、実習でうかがったときは、38. ヒッコミジアン ［　　］だったHちゃんが、カレンダー作りでは、数字もひらがなも正しく書け、みんなに教えている姿が生き生きとした様子で、39. スバらしい ［　　］成長に驚きました。その上、今日は夕方に鉄棒に 40. チョウセン ［　　］すると言うHちゃんのためにクラス全体で応援する姿には 41. カンゲキ ［　　］しました。体を動かす活動は苦手なはずのHちゃんが自信を持つことで 42. ウンドウキノウ ［　　］まで 43. キュウゲキ ［　　］に 44. カイカ ［　　］させていく姿にも本当に驚きました。

45. ソウサクイヨク ［　　］の豊かな子どもたちはアイデアを出し合い、46. タナバタ ［　　］飾りの 47. セイサク ［　　］グループもカレンダー作りのグループも強い 48. ナカマイシキ ［　　］で助け合う姿を多く見ることができました。さらに生活の先を見通し、部屋を 49. ソウジ ［　　］したり、小さな子どもが困っていると助ける思いやりの姿も見ました。また、子どもの手で使いやすいよう棚や倉庫の中も子どもと管理を考える 50. キカイ ［　　］にもなり、51. カンキョウセイビ ［　　］を学びました。そして、タイミングのよい声掛けなどの実際を見ることもできました。52. ヨウチエンキョウイクヨウリョウ ［　　］も 53. ホイクショホイクシシン ［　　］もその教育は 54. カンキョウ ［　　］を通してとありますが、コーナーに分かれた保育用品は子どもが自分で選び必要に応じて使用しやすいよう配慮されている 55. カンキョウ ［　　］でもあることに気付くことができました。

8月

保育所
0歳児

次の実習日誌のカタカナを漢字に直してみよう。

8月5日（〇）　晴れ	0歳児クラス　タンポポ　組	男3名　女4名　欠席1名

今日の実習のねらい	・子どもとのかかわりを通し、接し方を学ぶ。 ・夏の **（1. アツさ）** への保育者の **（2. ハイリョ）** や環境構成を学ぶ。

時間	子どもの活動	保育者の援助と留意点	実習生の動き・気付き
8：30	○登園 ・眠ったまま登園し、おむつを替えた **（3. トタン）** に大泣きする。	・室内を **（10. ウスめた）** 消毒薬で **（11. ミズブきソウジ）** をし、室内の **（12. カンキ）** と温度、**（13. シツド）** を調整する。	・**（26. ゾウキン）** を使い **（27. フきソウジ）** をし、消毒済み（4. ガング）の **（28. カラブき）** をする。
8：45	○ **（4. ガング）** で遊ぶ ・動く（4. ガング）に **（5. キョウミ）** を持ち楽しむ。 ・モビールで遊んだり、保育者に抱っこされ声を掛けられたり **（6. サワって）** みたりして楽しむ。	・遊んでいた兄の **（14. アトオい）** をし、泣き出すRちゃんを抱っこし、「お部屋行こうね」と声を掛け安心できるようにする。 ・**（15. おボン）** 休み後で、子どもの生活リズムが変わっているため、**（16. シュウシン）** と **（17. キショウ）** の時間や休み中の家庭での過ごし方を保護者に確認する。	・**（29. ゴスイ）** 用布団に **（30. シキフ）** カバーをつけている保護者に「おはようございます」と **（31. アイサツ）** をする。 ・**（32. ヒトミシり）** で泣いているAちゃんを抱っこして「先生がいいよね。先生のところへ行こうね」と声を掛け不安を取り除く。（32. ヒトミシり）は悪いことではないと思い、声を掛けるなど、安心できるように **（33. ココロみ）** た。
9：00	・読んで欲しい絵本を自分で棚から取り、保育者の膝の上で読んでもらう。 ・**（7. ユザまし）** で **（8. スイブンホキュウ）** をする。	・室内の **（18. サイコウ）** を調節し、部屋を区切り、（9. ゴゼンネ）の子どもに（2. ハイリョ）する。 **（19. シンチンタイシャ）** が激しく **（20. ネアセ）** をかいた子どもの着替えをする。	・子どもと遊びながら（5. キョウミ）のある遊びを探り子どもと楽しさを共有する。
	○ **（9. ゴゼンネ）** をする子どもがいる。	・子どもの **（21. ゴカン）** を **（22. シゲキ）** するような「きれいな音ね」などの言葉掛けをする。	・（9. ゴゼンネ）の終わった子どもの **（34. シング）** を押入れに片付ける。
9：30	○おむつ交換 ・今日から登園のHちゃんはおむつ交換をいやがり、近くにいたSくんの髪の毛を引っ張ったりJくんに噛み付く。	・「ちっち **（23. ヌれた）** かな？」などの言葉を掛けスキンシップを **（24. ココロガけ）** おむつ交換する。 ・新しく入ったHちゃんが、始めは短時間から無理なく過ごせるよう、保育者と保護者で十分に **（25. デンタツジコウ）** を確認する。	・子どものおむつ交換をする。 ・今日から登園のHちゃんはまったく泣かず、**（35. スバらしい）** と思っていたが、突然子どもの髪の毛を引っ張ったり噛み付いた。どう **（36. タイショ）** したらよいかわからず、びっくりしてしまったが、**（37. コウイ）** を止めるだけで

時間	子どもの活動	保育者の援助と留意点	実習生の動き・気付き
10：00	○おやつ ・食べ終わったら（7.ユザまし）を**(38. ホニュウビン)** またはコップやマグカップから飲む。	・子どもの**(39. タンサクコウドウ)** に合わせ事故防止のため、保育者の声掛けによる連携を取る。 ・**(40. シャフツ)** 消毒した（38.ホニュウビン）に（7.ユザまし）を入れる。	なく、これまでの**(41. ホイクレキ)** などを前もって知っておくことや、保護者の連絡について学ぶことができた。

感想・反省

始めはどのように接したらよいか**(42. トマドい)** ました。でも、（32.ヒトミシり）は悪いことではなく、それだけ保育者と子どもとの間にしっかりとした**(43. アイチャクケイセイ)** が築かれている**(44. アカシ)** であり、その**(45. セイチョウカテイ)** は大切にすべきと思い、私もその気持ちを受け止めていきながら接してあげたいと感じました。また、部屋で子どもが落ちていた小さな紙を口に入れてしまい、近くにいた**(46. カンゴシ)** さんが口の中から紙を取り出していました。改めて乳児クラスの**(47. アンゼンカンリ)** や、**(48. エイセイカンリ)** は常に注意すべきことだと学びました。保護者から（1.アツさ）で、**(49. ショクヨクフシン)** の心配を伝えられていた子どもがよく冷やしたフルーツを先に食べることで、主食もおいしそうに食べる姿を見ました。また、**(50. モクヨクソウ)** に気持ちよさそうに入る子どもの姿も見ることができ、よい経験となりました。

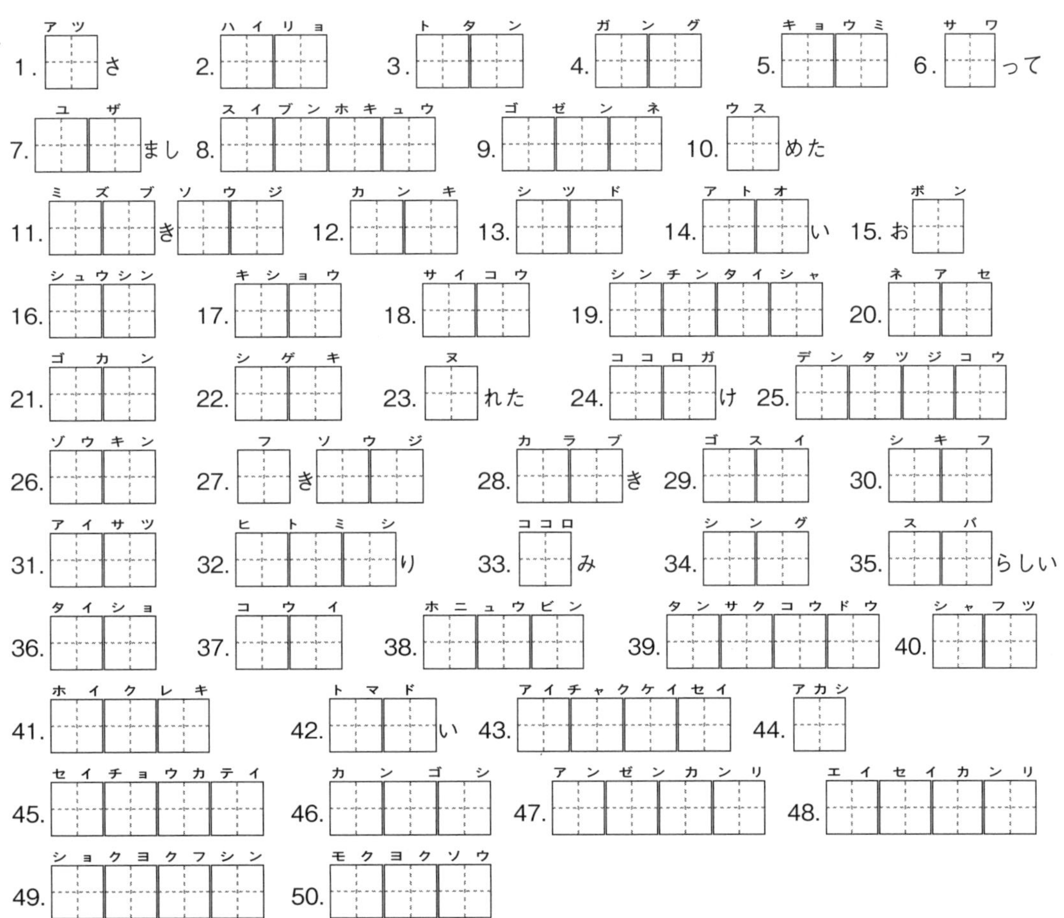

1. アツ さ
2. ハイリョ
3. トタン
4. ガング
5. キョウミ
6. サワ って
7. ユザ まし
8. スイブンホキュウ
9. ゴゼンネ
10. ウス めた
11. ミズ ブ き ソウジ
12. カンキ
13. シツド
14. アトオ い
15. お ボン
16. シュウシン
17. キショウ
18. サイコウ
19. シンチンタイシャ
20. ネアセ
21. ゴカン
22. シゲキ
23. ヌ れた
24. ココロガ け
25. デンタツジコウ
26. ゾウキン
27. フ き ソウジ
28. カラブ き
29. ゴスイ
30. シキフ
31. アイサツ
32. ヒトミシ り
33. ココロ み
34. シング
35. スバ らしい
36. タイショ
37. コウイ
38. ホニュウビン
39. タンサクコウドウ
40. シャフツ
41. ホイクレキ
42. トマド い
43. アイチャクケイセイ
44. アカシ
45. セイチョウカテイ
46. カンゴシ
47. アンゼンカンリ
48. エイセイカンリ
49. ショクヨクフシン
50. モクヨクソウ

9月

幼稚園 4歳児

次の実習日誌のカタカナを漢字に直してみよう。

／45

9月16日（○） 晴れ	4歳児クラス　バラ　組	男10名　女11名　欠席2名	
今日の実習のねらい	・音楽発表会の練習が充実して行えるように援助する。 ・子ども同士の **(1. ケンカ)** などについて保育者の対応を学ぶ。		
時間	子どもの活動	保育者の援助と留意点	実習生の動き・気付き
10：00	○ **(2. ガッソウ)** 練習 ・「ピアノの **(3. エンソウ)** がうまかった」など口々に感想を話す。 ・保育者の話を **(4. シンケン)** に聞く。	○（2. ガッソウ）練習 ・子どもに音楽 **(9. カンショウ)** 会の感想を聞く。 ・発言を他の子にも聞こえるよう **(10. フクショウ)** し受け止める。 ・**(11. カンペキ)** ではなくても **(12. イッショウケンメイ)** に練習するよう励ます。	・発言をしない子どもに「どうだった？」と声を掛ける。 ・子どもの集合予定場所に使用楽器と **(15. フメン)** 台［**(16. ガクフ)** と共に］を置く。
10：05	・バスケット［**(5. ケンバン)** 楽器・打楽器別］の前に集まる。	・楽器が入ったバスケットの前に集合するよう声を掛ける。 ・**(13. セイレツ)** しタンバリンか（5. ケンバン）ハーモニカを選んで1つ取るよう話す。	・子どもが順番に楽器を選んで取るのを見守る。 ・なかなか楽器を選べない子どもに「どちらが好きか」聞いて支援する。
10：10	・Bちゃんが楽器を選ぶのに迷っていたところ、後のCちゃんがBちゃんを押しのけて楽器を取る。 ・Bちゃんが「何をするんだよ」と声を **(6. アラげ)** ながら押し **(7. タオし)**、Cちゃんの楽器を取る。 ・Cちゃんが泣き出す。 ・BちゃんCちゃんがお互いに **(8. アヤマる)**。	・子どもに（13. セイレツ）を促しながら、今のうちに選ぶ楽器を決めておくよう声を掛ける。 ・楽器を取った子どもに自分の席に着くよう話す。 ・実習生から話を聞いて、BちゃんとCちゃんを列から **(14. ハナれ)** たところに連れて行き、Bちゃん、Cちゃんの思いを聞きわかりやすい言葉で伝える。BちゃんとCちゃんがお互いに（8. アヤマる）様子を見て「もう一度、楽器を選びに行こう」と声を掛ける。	・CちゃんにBちゃんを押さないよう声を掛ける。 ・（7. タオれた）Cちゃんを抱き起こし、涙を拭き取り泣かないようなだめる。 ・（1. ケンカ）の **(17. ケイイ)** を保育者に伝える。 ・Cちゃんの後の子どもに楽器を選ぶよう声を掛ける。 ・Bちゃんの楽器選びを支援する。
10：15	・BちゃんCちゃんが楽器を持って着席する。	・全員が楽器を持って着席したことを確認する。	・空のバスケットを保育室の **(18. スミ)** に置く。
13：30	○帰りの会 ・帰り支度に時間が掛かる子もいる。	・帰り支度をして着席するよう声を掛ける。	・**(19. チャクボウ)** や **(20. カバン)** 掛けなど子どもの帰り

時間	子どもの活動	保育者の援助と留意点	実習生の動き・気付き
13：40	・保育者の話を聞く。 ・「月では **（21. ウサギ）** がおもちをついているんだよ」など思いを口に出す。	・９月の行事について話をする。**（22. ジュウゴヤ）** の **（23. ユライ）** を話し、保育室の中に飾られたすすきと **（24. ツキミ）（25. ダンゴ）** について説明する。 ・**（26. ヒガン）** の（23. ユライ）を話す。	支度を促す。 ・保育者の話に併せてすすきや（25. ダンゴ）を子どもたちが見やすいように示す。 ・「月の中に（21. ウサギ）が見えるといいね」など子どもの話にあいづちを打つ。
14：00	・行事に関心を寄せながら保育者の話を聞く。	・予定されている **（27. ケイロウ）** の日と **（28. セイカツハッピョウ）** 会の行事について話す。	・保育者の話を聞き、子どもの言葉を拾って **（29. キョウカン）** する。

感想・反省

（1. ケンカ）の場面では、のんびりしたBちゃんがCちゃんに急に **（30. コウゲキ）** 的になったので驚きました。**（31. ランボウ）** な **（32. ゲンドウ）** の **（33. コンテイ）** には、Bちゃんなりの「じっくり選ぶことを楽しむ」思いがあったことを、２人の話を先生が **（34. レイセイ）** に聞き、それぞれの思いを **（35. カンタン）** な言葉で伝えている **（36. ケイカ）** で理解しました。子どもの **（37. カチカン）** の多様性と、**（38. シカる）** ことの難しさを実感しました。子どもたち同士で（1. ケンカ）の **（39. カイケツ）** ができるようになる年齢について **（40. ギモン）** がありましたが、少し理解することができたように思います。**（41. ザンショ）** が厳しく **（42. ジョウチョ）** の安定を図ることが難しい時期のため、私は子どもの **（43. キゲン）** を取ることに気を取られていましたが、季節行事や秋の園内行事の話をして、これからの季節へ子どもの興味を移すことも生活の **（44. ココロヨい）（45. シゲキ）** となっていることを先生のご指導から学びました。

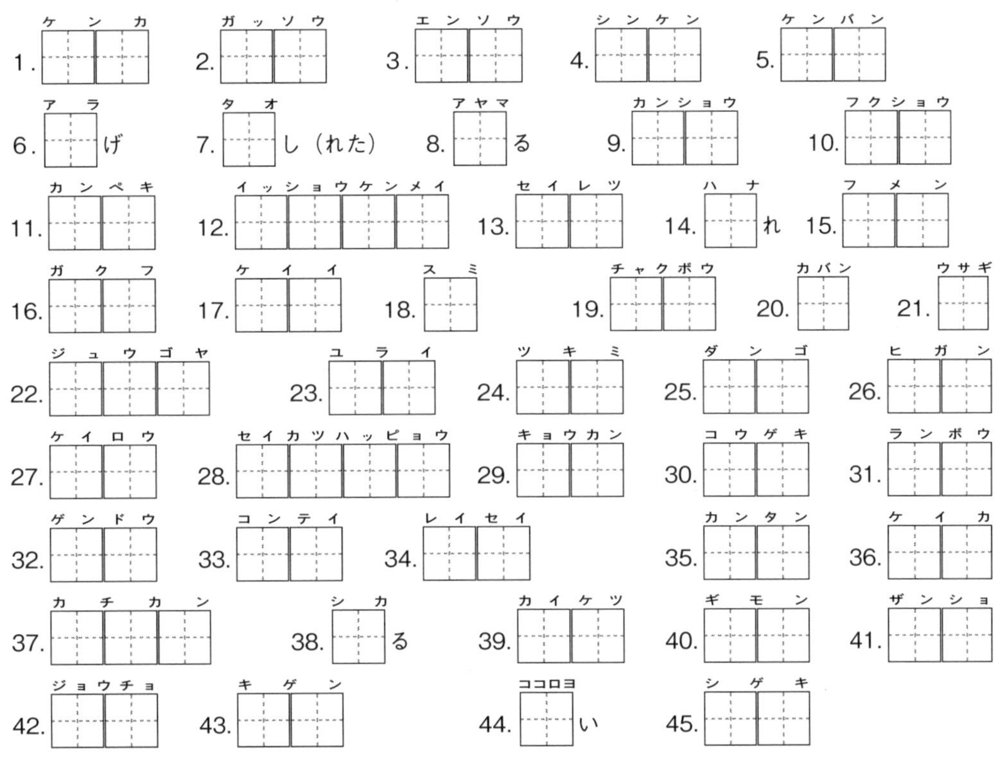

10月 保育所 4歳児

次の実習日誌のカタカナを漢字に直し、送り仮名も正しく書いてみよう。

10月15日（○） 晴れ	4歳児クラス ユリ 組	男14名 女12名 欠席1名	
今日の実習のねらい	・子どもたちと交通あんぜんと防火・防災、（1. フシンシャ）（2. タイサク）の（3. コウシュウ）を受け、（4. ヒナン）訓練を行い、あんぜんに生活することの重要性について確認する。		
時間	子どもの活動	保育者の援助と留意点	実習生の動き・気付き
10：00	○園庭での集会 ・２列に整列した後、体育座りする。 ・明日の（5. イモホリ）と（6. シュウカク）への期待を言葉にする。	・子どもに２列に整列し、体育座りで座るよう伝える。 ・子どもに明日の（5. イモホリ）と（6. シュウカク）物を使ったカレー給食の予定を伝える。	・整列や（20. チャクザ）をしない子どもに声を掛け（21. タイセイ）を整えるよう促す。 ・（22. インソツ）の際の注意事項と（6. シュウカク）物を給食室に（23. ウンパン）する手順を再確認する。
10：10	○交通あんぜん（3. コウシュウ）・（1. フシンシャ）（2. タイサク） ・（7. ケイサツカン）に大きな声で（8. アイサツ）をし、話を真剣に聞く。 ・普段と異なる保育者の表情や姿に（9. トマドイ）ながらも真剣に見る。 ・命の大切さに関する（10. キョウクン）をうなずきながら聞く。 ・（7. ケイサツカン）にお礼を述べる。 ・聞いた話の感想を言葉にしながら保育室に戻る。	・これから近所の（14. ケイサツショ）の人から交通あんぜんの話を聞き、保育者が（1. フシンシャ）への対応を（15. ジツエン）することを伝え、（7. ケイサツカン）に（8. アイサツ）するよう伝える。 ・（16. ショクインシツ）から刺股を持ってくる。 ・（7. ケイサツカン）の指示に従い、（1. フシンシャ）が現れた際の子どもの守り方・（17. キュウキュウ）手当てを他の保育者と（18. レンケイ）して（15. ジツエン）する。 ・お礼を伝えるよう子どもに話す。 ・火災の（4. ヒナン）訓練を行うので保育室に戻るよう話す。	・（7. ケイサツカン）に（8. アイサツ）する。 ・話を聞かない子どもに注意し、後ろに（20. チャクザ）する。 ・（24. サンポ）の（25. ケイロ）の危険を再確認する。 ・園の（1. フシンシャ）（2. タイサク）について学ぶ。 ・（17. キュウキュウ）手当ての方法を学ぶ。 ・お礼を述べる。 ・子どもに声を掛け、保育室に一緒に戻る。
10：40	○火災の（4. ヒナン）訓練 ・椅子に座り保育者の話を真剣に聞く。 ・（11. キンチョウ）した表情で保育者の話を聞く。 ・２列に整列し保育者の後をついて園庭に（4. ヒナン）する。 ・（12. タイキ）している（13. ショウボウシャ）と	・注意事項（話さない、走らない、押さない、外靴に履き替えない）を伝える。 ・園内放送の指示を聞き、２列に整列し、（19. センドウ）する保育者の後について園庭へ（4. ヒナン）するよう伝える。注意事項を守るよう確認する。 ・先ほどと同じように２列で体育	・話を聞こうとしない子どもに声を掛け注意を促す。 ・子どもに静かに園内放送を聞くよう促す。 ・子どもの最後尾につき、園庭に（4. ヒナン）する。（26. カイダン）では前の人と（27. カンカク）を開け押さないよう声を掛ける。 ・玄関で外靴に履き替えようと

※一般的には、「交通あんぜん指導」と「ひなん訓練」は同じ日に行わないことが多いですが、保育用語や漢字の書き取りの確認としては関連する用語も多いため、ここでは一日の活動として掲載しました。

時間	子どもの活動	保育者の援助と留意点	実習生の動き・気付き
10：55	(28. ショウボウシ) に目を奪われる。 ・２列で体育座りをする。 ・(29. テンコ) に応える。 ・真剣に保育者と（28. ショウボウシ）の話を聞く。	座りするよう伝える。 ・座っている子を（29. テンコ）し、人数を確認する。 ・話すことを (30. ガマン) してきたことを褒め、(28. ショウボウシ）の話を聞くように伝える。	する子にそのまま園庭に出るよう声を掛ける。 ・子どもに前の子どもの背中を見て歩くよう声を掛ける。 ・子どもの後方に座り、(28. ショウボウシ）の話を聞く。

感想・反省

２つの訓練は子どもたちのあんぜんについて伝えることが (31. イト) された保育だと思いました。楽しみにしてきた（5. イモホリ）を (32. ドウニュウ) にすることで、子どもは訓練に前向きになることに (33. オドロキ) ました。また、(6. シュウカク）物を用いた (34. コンダテ) は子どもに人気で (35. ザンパン) がほとんどないと聞いていましたが、(36. サイバイ) をすることやそれを（6. シュウカク）することに楽しさを感じる (37. コウキシン) (38. オウセイ) な子どもがこの園には多いと感じました。

（7. ケイサツカン）からの (39. キャッカンテキ) な (40. シサ) により、通常の（24. サンポ）の（25. ケイロ）にも危険が (41. ヒソム) ことがわかり、園を取り巻く環境が車両の進入が少ない (42. ジュウタクガイ) でも (43. ユダン) ができないと知り、自分自身の (44. シゲキ) ともなりました。交通事故・（1. フシンシャ）・火災対応は (45. ジンソク) な 119 番 (46. ツウホウ) が原則と今日の訓練から学びました。今日の訓練で真剣さと（30. ガマン）強さを示した子どもたちを見習い、私も (47. フダン) から視覚・(48. チョウカク)・嗅覚を (49. エイビン) にし (50. アンゼンカンリ) に気を配りたいと思いました。

1. フシンシャ　2. タイサク　3. コウシュウ　4. ヒナン　5. イモホリ
6. シュウカク　7. ケイサツカン　8. アイサツ　9. トマドイ　10. キョウクン
11. キンチョウ　12. タイキ　13. ショウボウシャ　14. ケイサツショ　15. ジツエン
16. ショクインシツ　17. キュウキュウ　18. レンケイ　19. センドウ　20. チャクザ
21. タイセイ　22. インソツ　23. ウンパン　24. サンポ　25. ケイロ
26. カイダン　27. カンカク　28. ショウボウシ　29. テンコ　30. ガマン
31. イト　32. ドウニュウ　33. オドロキ　34. コンダテ　35. ザンパン
36. サイバイ　37. コウキシン　38. オウセイ　39. キャッカンテキ　40. シサ
41. ヒソム　42. ジュウタクガイ　43. ユダン　44. シゲキ　45. ジンソク
46. ツウホウ　47. フダン　48. チョウカク　49. エイビン　50. アンゼンカンリ

11月

児童養護施設（女子寮）

次の実習日誌のカタカナを漢字に直し、送り仮名も正しく書いてみよう。

／30

11月22日（○）　晴れ	女子寮（幼児・小学生グループ）	幼児2名　小学生7名
今日の実習のねらい	・一人一人の子どもに応じた声掛けや援助を行う。	

時間	子どもの活動	保育者の援助と留意点	実習生の動き・気付き
6：00	○（1. キショウ）・（2. ミジタク） ・（1. キショウ）後、顔を洗い着替えをする。 ・なかなか起きられない子どもに声を掛ける。	・子どもたちの（1. キショウ）指導を行う。部屋の電気をつけ、カーテンを開ける。 ・起きることが苦手な子どもが自分で起きたことを（6. ヒョウカ）し、自ら（7. コクフク）できるよう声を掛ける。	・幼児の（10. フトン）を片付け、着替えの援助をする。 ・起きられないことを叱るのではなく自ら（11. カイゼン）できるような保育者の言葉掛けを学んだ。 ・幼児室の（3. ソウジ）の後、トイレ（3. ソウジ）をする。
6：30	○（3. ソウジ） ・担当の持ち場を（3. ソウジ）する。	・（3. ソウジ）をするよう声を掛ける。 ・朝食の準備をするよう声を掛け、子どもの弁当の準備をする。	・食堂で朝食の準備と（5. ハイゼン）を行う。
6：45	○朝食準備・朝食 ・手洗いをして、朝食、弁当の準備をする。 ・準備のできたグループから朝食を食べる。 ・早く食べ終え片付けず席を立つ子どもがいる。	・子どもたちと朝食を食べる。 ・片付けず席を立つ子どもに声を掛け片付けるように言う。	・朝食の（12. シルモノ）をこぼさないよう（13. シンチョウ）になり、手間取ってしまった。 ・子どもたちと朝食を食べる。 ・（14. イツダツ）した行動に対しても（15. ジュウナン）な対応ができるようもっと学びたいと思った。
7：20	○片付け ・食べ終わった子どもから（4. ショッキ）を片付け、登校・登園の準備をする。	・食事を終えた子どもたちの登校、登園準備を手伝う。 ・（8. イッセイホウソウ）により小学生の登校を（9. ウナガス）。幼児を幼稚園まで送る。	・子どもの（4. ショッキ）を洗う。 ・階段、（16. ヨクシツ）の（3. ソウジ）をする。 ・幼児を見送る。 ・（17. ゲンカン）、（18. キョシツ）を（3. ソウジ）する。
7：40	○小学生登校		
8：30	○幼児登園		
16：00	○宿題 ○自由時間 ・宿題を終えた子どもから、好きな活動をする。	・子どもたちの宿題を見る。 ・子どもたちと遊ぶ。 ・片付けをして、手洗い・夕食準備をするよう声を掛ける。	・子どもたちの宿題を見る。 ・（19. ヨクソウ）にお湯をため、入浴の準備をする。 ・子どもたちと遊ぶ。 ・片付けをして、手洗い・夕食準備をするよう声を掛ける。
17：30	○夕食準備 ・手洗い後、（5. ハイゼン）をする。	・幼児の（5. ハイゼン）の援助を行う。	・テーブルを拭き、（5. ハイゼン）の援助を行う。
17：45	○夕食	・子どもたちと夕食を食べる。	

時間	子どもの活動	保育者の援助と留意点	実習生の動き・気付き
18：15	○片付け ・(4. ショッキ) を片付ける。	・片付ける。	・子どもたちと夕食を食べる。 ・テーブルを拭き片付ける。

感想・反省

1日の流れが理解でき、少しずつ見通しがもてるようになってきました。以前は「早くさせなければ」と(20. アワテテ)しまったのですが、自分自身にゆとりができたからか、子どもたちのペースを(21. ソンチョウ)しながら声を掛けることができるようになったように感じます。特に、部屋の(22. セイリセイトン)がなかなか進まない子どもには、「片付けをしようね」と声を掛けるよりも、「これはどこかな？」などと(23. タズネ)ながら、一緒に片付けることを(24. イシキ)してみました。このことを(25. クリカエシ)ていると、「これは、ここだよ」と言いながら、だんだんと自分で片付けるようになりました。同じ指導を（25. クリカエス）のではなく、子どもの(26. シテン)に立った声掛けの方法を（15. ジュウナン）に考えることの大切さを学びました。また、今日は(27. ウレシイ)ことがありました。いつもは声を掛けてもそっけない(28. タイド)だったSさんが、初めて自分から学校でのことを話してくれました。Sさんに(29. ハンコウ)されたり嫌われたくないという思いから、あまりかかわることができなかったのですが、「おはよう」「行ってらっしゃい」などの声掛けを続けていたことが今日の出来事に(30. ツナガッタ)ように思います。残りの実習でも、子どもから期待するような反応がなくても、挨拶や声掛けを続けていきたいと思います。

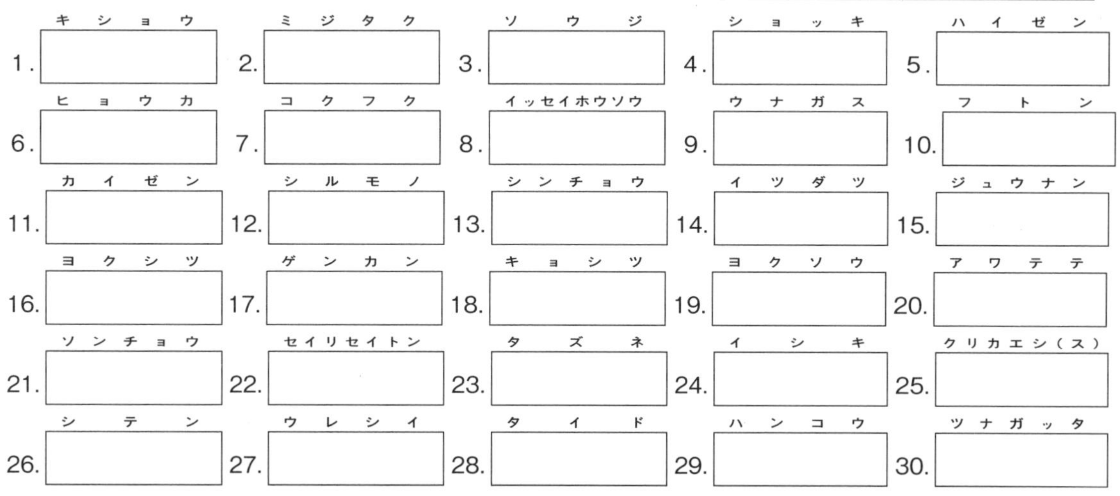

1. キショウ
2. ミジタク
3. ソウジ
4. ショッキ
5. ハイゼン
6. ヒョウカ
7. コクフク
8. イッセイホウソウ
9. ウナガス
10. フトン
11. カイゼン
12. シルモノ
13. シンチョウ
14. イツダツ
15. ジュウナン
16. ヨクシツ
17. ゲンカン
18. キョシツ
19. ヨクソウ
20. アワテテ
21. ソンチョウ
22. セイリセイトン
23. タズネ
24. イシキ
25. クリカエシ（ス）
26. シテン
27. ウレシイ
28. タイド
29. ハンコウ
30. ツナガッタ

column 施設実習における職員等の呼称（実習日誌への記録について）

施設実習ではそこで働く職員はかならずしも保育士ではなく、さまざまな専門職員が連携して働いています。生活するのも乳幼児だけでなく、中学生から成人までさまざまです。職員や施設利用者の呼称については、実習先の種別や働く職員の職種でも異なります。そのため、実習先の施設が決定してから、どのような職員が働いているのか、どのような人が生活しているのかを確認し、実習日誌における呼称について確認する必要があります。具体的には、施設職員を総称して「職員」と呼び、職種や職務内容による呼称としては「児童指導員（指導員）」、「生活支援員」、「調理員」、「栄養士」、「看護師」「事務員」「用務員」などがあります。一方、施設を利用している方を総称して「利用者」、入所施設では「入所者」と呼んでいます。また、児童養護施設や乳児院、児童発達支援センターなど、利用者が子どもである場合には、「児童」や「子ども」などの呼称を用い記録します。

12月

保育所
3歳児

次の実習日誌のカタカナを漢字に直し、送り仮名も正しく書いてみよう。きれいな文字を意識しよう。

12月20日（○） 雨	3歳児クラス アヒル 組	男10名 女10名 欠席0名

今日の実習のねらい	気になる子どもへのかかわりや**(1. ハイリョ)(2. ジコウ)**について学ぶ。

時間	子どもの活動	保育者の援助と留意点	実習生の動き・気付き
9：30	○好きな遊び ・雨天のため、保育室内でブロック、お絵描き、ままごと、カルタ、工作・**(3. セイサク)**など、好きな遊びをする。	・**(5. レンラクチョウ)**の**(6. キサイ)**内容を確認する。 ・子どもの遊びを見守りながら安全に遊べるよう声を掛ける。 ・クリスマスカード作りの準備をする。	・子どもたちの遊びに参加する。 ・Aくんと**(11. タジ)**がトラブルになりそうな場面でお互いの気持ちを**(12. ソウゴ)**に**(13. リカイ)**できるよう**(14. テイネイ)**に説明するようにする。
10：30	○片付け ・片付けをしてゴミを拾う。	・片付けをして1人1つ保育室内のごみを拾うよう声を掛ける。	・子どもに片付けるよう声を掛ける。
10：40	○クリスマスカード作り ・クレヨンを使ってクリスマスカードに好きな絵を描く。 ・完成した子どもから実習生のところへ持って行き、**(4. ハイセツ)**・手洗いをする。 ・Aくんが間違ってしまったと泣き出し、クリスマスカードを丸めてしまう。	・テーブルを出し、新聞紙を**(7. シク)**。 ・**(8. イス)**を持ってきて座るよう声を掛ける。 ・もうすぐクリスマスであることを伝え、クリスマスカードに好きな絵を描くよう伝える。 ・完成した子どもから片付け、(4.ハイセツ)、手洗いをするよう声を掛ける。 ・Aくんに「大丈夫。もう一度新しいカードに書こう」と**(9. オダヤカ)**な**(10. クチョウ)**で伝える。	・Bくんがブロックの作品を「**(15. コワシ)**たくない」と**(16. テンジ)**したいことを伝えに来たため、保育者に**(17. カクニン)**を取ってロッカーの上に作品を置くよう伝える。 ・クリスマスカードとクレヨンを配る。 ・完成したカードに子どもの名前を記入し、**(18. ヘキメン)**に**(19. ケイジ)**する。 ・カードを作り終えたテーブルの新聞紙を外し、テーブルを拭く。 ・給食室に給食を取りに行く。

感想・反省

今日はAくんへの**(20. タイオウ)**方法について多くのことを学ぶことができました。

好きな遊びの時間には、Aくんが作っておいた作品をDくんに（15.コワサレ）てしまいました。**(21. ショウサイ)**を聞くと、Dくんは**(22. コイ)**にではなく、使いたかったパーツを探してAくんの作品と知らずに（15.コワシテ）しまったようでした。Aくんは（15.コワレタ）ことに**(23. オコリ)**、Dくんを**(24. カミツキ)**そうになり**(25. アワテテ)**止めに入りました。AくんにもDくんにもお互いの気持ちが伝わるように**(26. ダイベン)**してみましたが、Aくんはしばらく**(27. コウフン)**していました。

私は(28. トロウ)感で(29. イッパイ)のＡくんに「せっかく作ったのに(30. ザンネン)だったね」と(31. ナグサメル)ことしかできなかったのですが、それを遠くから見守っていた保育者が「Ａくん、明日お天気になったらまたお庭でサッカーしようか」と声を掛けました。すると、Ａくんは泣きながらも「サッカーする」と返事をして(32. ジョジョ)に落ち着いていきました。それを見て、今日は雨だったので思い切り体を動かして遊ぶことができず、イライラしていたのかもしれないと気付きました。その気持ちを保育者にわかってもらえて、Ａくんは気持ちを切り替えることができたのかもしれないと思いました。

また、保育者はＡくんがクリスマスカードを丸めてしまった場面でも、(33. キビシク)注意するのではなく、(9. オダヤカ)な(10. クチョウ)で「大丈夫」と伝えていました。保育者に理由を(34. タズネル)と、Ａくんはとても(35. キンチョウ)していたことから「失敗」に強い不安感を持っており、間違ってしまいどうしてよいかわからなくなったのだと思う、と教えていただきました。授業でも、気になる子どもへの(20. タイオウ)では「～してはだめ」という言い方ではなくなぜそうしたのかを考えることや、「～してみよう」と(36. コウテイテキ)に伝えることが大切と学びました。Ａくんへの(20. タイオウ)を見て、改めてこのことの大切さを学ぶことができました。

その一方で、保育者はＡくんが他の子どもの(37. カミ)の毛を(38. ヒッパッテ)しまったときなどには、いけないことはいけないとはっきりと伝えていました。これまで「Ａくんだから仕方がない」と思い、(39. アイマイ)な(20. タイオウ)をしてしまったのですが、人を傷つける(40. コウイ)に対してはいけないと教えることも大切な指導であると思いました。

1.	2.	3.	4.
5.	6.	7.	8.
9.	10.	11.	12.
13.	14.	15.	16.
17.	18.	19.	20.
21.	22.	23.	24.
25.	26.	27.	28.
29.	30.	31.	32.
33.	34.	35.	36.
37.	38.	39.	40.

1月
幼稚園
3歳児

次の実習日誌のカタカナを漢字に直し、送り仮名も正しく書いてみよう。きれいな文字を意識しよう。

／45

1月15日（○） 晴れ	3歳児クラス　サクラ　組	男13名　女12名　欠席0名

今日の実習のねらい	インフルエンザなどの(1. カンセンショウ)の(2. ヨボウ)と(3. タイサク)について学ぶ。

時間	子どもの活動	保育者の援助と留意点	実習生の動き・気付き
10：00	○自由遊び ・(4. タコアゲ)をしていたEくんが(5. テントウ)し、(6. ヒザ)を(7. スリムイテ)しまう。 ・保育者の話を(8. シンケン)に聞く。	・Eくんを(11. イムシツ)へ連れて行き、(12. キュウキュウバコ)から(13. ショウドクエキ)と(14. バンソウコウ)で手当てをする。しばらく室内で(15. アンセイ)に過ごすよう伝える。 ・(4.タコアゲ)をしている子どもたちを集め、安全に遊べるよう(16. チュウイジコウ)を確認する。	・Eくんを連れて保育者に(23.ケガ)の(21.ホウコク)をした後、(27. カノウ)しないよう(28. ヒフ)に入り込んだ砂や(29. ザッキン)を洗い流す。 ・Eくんと(30. アブラネンド)で今年の(31. エト)の(32. ヘビ)を作って遊ぶ。
11：00	○片付け、うがい、手洗い	・片付けをして、(17. セッケン)で手を洗い、うがいをするよう声を掛ける。	・園庭に出て玩具を片付ける。
11：15	○保育室に集まる ・手の洗い方、うがいの仕方などを保育者と一緒に確認する。 ○「せっけんさん」を歌う。	・(18. カゼ)で数日間欠席していたFちゃんが登園したことや病気の(2.ヨボウ)のため、うがい、手洗いの大切さなどを伝える。 ・子どもたちと歌を歌う。	・子どもたちと保育者の話を聞く。 ・ピアノを(33. ヒク)。
14：00	○降園準備 ・お便りを受け取り、(9. カバン)に入れる。	・降園準備をするよう声を掛ける。 ・外遊びに(19. テキシタ)(20. フクソウ)をお願いするためのお便りを配る。	・(34. ミジタク)の援助を行う。 ・お便りを(9.カバン)に入れるよう声を掛ける。
14：20	○「おかえりのうた」を歌う。	・忘れ物がないかロッカーを確認する。	・ピアノを(33.ヒク)。
14：30	○順次降園 ・実習生と(10. アクシュ)をして降園する。	・保護者に今日の活動を(21. ホウコク)し、子どもを送る。 ・(22. ソウゲイ)にきたEくんの保護者に(23. ケガ)の状況と園内での(24. ショチ)の内容を伝え、(25. ミゼン)に防げなかったことを(26. シャザイ)する。	・一人一人に「さようなら」と(10.アクシュ)をして送る。 ・保育室、トイレ、(35. ロウカ)を掃除する。

感想・反省

今日はEくんが（23. ケガ）をしてしまいましたが、泣いていて血が出ているのを見て、私はどうしてよいかわからなくなってしまいました。保育者が適切に（24. ショチ）している様子を見て、幼稚園 **(36. キョウユ)** にも **(37. イリョウ)** の知識が必要であることを実感しました。Eくんの保護者には、(23. ケガ）が起こった状況や（24. ショチ）の内容、お風呂で痛がるかもしれないということ等を伝えており、家庭との連携がこのように行われているのだと具体的に学ぶことができました。

(12. キュウキュウバコ）を初めて見たのですが、**(38. ガイショウ)** の（24. ショチ）のための道具だけでなく、**(39. シップ)** や **(40. チンツウザイ)** などさまざまな薬が入っていました。しかし、使用する場合には **(41. マンセイシッカン)** やアレルギーなどを持っている子どももいるため、きちんと医師、保護者に確認をとる必要があることを教えていただきました。

実習目標とした（1. カンセンショウ）の（2. ヨボウ）については、**(42. メンエキ)** や **(43. テイコウリョク)** の弱い子どもたちにとって、(2. ヨボウ）がとても大切であることを学びました。具体的にはうがい、手洗いの指導や室内の清掃など、いろいろなことをしていました。他にも、園内 **(44. ケイジ)** やお便りを使って、家庭でのうがい、手洗いを呼び掛けていることを知り、“家庭と共に子どもを育てる”ということが **(45. ジッセン)** されているのだとわかりました。

1.		2.		3.		4.	
5.		6.		7.		8.	
9.		10.		11.		12.	
13.		14.		15.		16.	
17.		18.		19.		20.	
21.		22.		23.		24.	
25.		26.		27.		28.	
29.		30.		31.		32.	
33.		34.		35.		36.	
37.		38.		39.		40.	
41.		42.		43.		44.	
45.							

2月

保育所
4歳児

次の実習日誌のカタカナを漢字に直し、送り仮名も正しく書いてみよう。きれいな文字を意識しよう。

／40

2月25日（○）（1. クモリ）	4歳児クラス　ヒバリ　組	男12名　女12名　欠席1名

今日の実習のねらい	・子どもたちが楽しめるようパネルシアターを演じる。 ・（2. コンダンカイ）に参加し、保育者と保護者との（3. レンケイ）について学ぶ。

時間	子どもの活動	保育者の援助と留意点	実習生の動き・気付き
15：00	○おやつ ○片付け・移動 ・ホールへ（4. トウチャク）した子どもから、クラスごとに（5. チャクセキ）する。	・おやつを食べ終えた子どもから、片付けてホールへ移動するよう声を掛ける。	・机、食器を片付ける。 ・子どもたちとホールへ移動する。 ・（13. キュウクツ）そうに座っている子どもに移動するよう伝える。
15：10	○（6. タンジョウ）会 ・（6. タンジョウ）月の子どもを（7. ハクシュ）で迎える。 ・（8. チョウセン）してみたいこと、（9. トクイ）なこと等を自分なりに（10. ヒョウゲン）する。	・（6. タンジョウ）月の子どもをステージ上に（12. ユウドウ）する。 ・（6. タンジョウ）月の子どもにインタビューする。 ・花と（6. タンジョウ）日カードを渡す。	・ステージ上に（6. タンジョウ）月の子どもの席を準備する。 ・パネルシアターの準備をする。 ・花と（6. タンジョウ）日カードを保育者に手渡す。 ・（14. シャシンサツエイ）をする。
15：30	・「たんたん（6. タンジョウ）日」の歌を歌う。 ・パネルシアターを見る。	・子どもたちと歌を歌う。 ・実習生のパネルシアターを見る。	・ピアノの（15. バンソウ）をする。 ・パネルシアターを演じる。
15：50	・実習生に（11. カンシャ）を伝える。 ○保育室へ移動	・クラスごとに順番に保育室へ移動するよう声を掛ける。	・ホールの片付けをして、実習クラスへ戻る。

感想・反省

本日の実習では（2. コンダンカイ）に参加させていただきました。子どもたちの（16. セイイクカンキョウ）や家庭での姿、保護者の（17. シュウロウ）（18. ケイタイ）など多くの情報を知りました。保護者が（19. ザツダン）のような形の安心した（20. フンイキ）で、子どものことや保育に対する（21. ギモン）や（22. シテキ）などを話されている様子を見て、私も子どもだけでなく保護者にも（23. シタワレル）保育者になりたいと思いました。また、これまでも（24. ヒンパン）に相談に来られていた保護者は小学校（25. シュウガク）やクラス（26. ヘンセイ）のことについて不安に思っていることがわかりました。

保育者は（27. ソウテイ）していなかった話題にも（28. シンチョウ）に対応していて、幅広い知識が必要なのだと（29. ツウカン）しました。

【(6. タンジョウ) 会の部分実習指導案】

<子どもの実態> みんなで活動することを楽しむ姿が見られる。			
<ねらい> 絵人形が (30. ブタイ) に貼り付く性質や仕組みに関心を持つ。			
<内容> パネルシアター「どうぞのいす」を楽しむ。			
時間	環境構成	予想される子どもの活動	援助の留意点
15：30 15：45	ステージ イス 実 ピアノ カーテン 子 出入口 ・子どもの座っている位置から見えやすい位置を考える。 ・(30.ブタイ) が倒れないよう安全に気を付ける。 ・パネルを (30.ブタイ) から下ろし、子どもたちが届くよう (31. イス) の上に載せる。	・絵人形がパネルに貼り付く様子に驚いたり、楽しんだりする。 ・絵人形を触ろうとする子どもがいる。 ・物語の内容を口に出して伝えたり、次に出てくる (32. トウジョウ) 人物を予想したりしながら楽しむ姿が見られる。 ・絵人形に触ろうと前に出てくる子どもがいる。 ・絵人形に触ってみたいという子どもがいる。 ・順番に、絵人形をパネルに貼り付けることを楽しむ。	・(33. ボウトウ) で、これから演じるパネルシアターは絵人形が (30.ブタイ) に貼り付くものであること、前に出てくると (30.ブタイ) が倒れる (34. キケン) があるため、その場で見るよう伝える。 ・先の展開に期待が持てるよう (35. ヨクヨウ) を付けたり、子どもたちの反応に (36. オウトウ) したり、反応を見ながら (37. リンキオウヘン) に (38. クフウ) する。 ・終了までその場で見るよう促す。 ・実習生が手作りした大切な作品であること、曲げると使えなくなること等を伝え、絵人形を貼り付けることを楽しめる (39. キカイ) を (40. モウケル)。

1.		2.		3.		4.	
5.		6.		7.		8.	
9.		10.		11.		12.	
13.		14.		15.		16.	
17.		18.		19.		20.	
21.		22.		23.		24.	
25.		26.		27.		28.	
29.		30.		31.		32.	
33.		34.		35.		36.	
37.		38.		39.		40.	

幼稚園
5歳児

次の実習日誌のカタカナを漢字に直し、送り仮名も正しく書いてみよう。きれいな文字を意識しよう。

3月5日（○） 晴れ	5歳児クラス クジラ 組	男10名 女12名 欠席0名
今日の実習のねらい	・子どもたちが小学校生活に期待が持てるようなかかわりと配慮について学ぶ。	

時間	子どもの活動	保育者の援助と留意点	実習生の動き・気付き
9：00	○園バスで（1. ジュンジ）登園	・子どもの（7. ドウセン）を考え環境を整える。	・（17. シュッキンボ）に（18. インカン）を（19. オウイン）する。
9：30	○好きな遊び ・園庭や保育室で好きな遊びをする。 ○（2. シャシン）（3. サツエイ）	・出席確認を行い、（8. メイボ）を（9. ショクインシツ）へ提出する。 ・（10. シュウガク）祝い会の（2. シャシン）（3. サツエイ）のため（11. カダン）のプランターを（12. ゲンカン）に運ぶ。	・（20. ユウギシツ）で卒園式の準備を行う。 ・子どもたちの遊びの場を整理したり、活動に必要な（21. キョウザイ）を用意したりする。
10：00	○文集作り ・文集作りをする。	・（13. ヒナマツリ）の作品の整理をする。	・文集をまだ書いていない子どもに文集作りをするよう声を掛ける。
10：30 10：45	○片付け ○卒園式練習 ・（4. ザセキ）の確認、歌の練習、（5. シュウリョウショウショ）（6. ジュヨ）の練習をする。	・生活の（14. キバン）もできた子どもの成長を感じ、「（15. ミリョク）的な文集を完成させようね」と伝える。 ・これまでの（2. シャシン）や（16. ヘキメン）を見せながら、子どもたちと幼稚園生活を振り返る。	・片付けをして、（20. ユウギシツ）へ移動するよう声を掛ける。 ・子どもたちを（22. ユウドウ）する。

感想・反省

卒園式練習で、子どもたちの入園時の（2. シャシン）を見て、この3年間の園生活の中でいろいろな経験をして（23. ジコハッキ）しながらさまざまな力を（24. カクトク）してきたのだということを実感しました。（2. シャシン）を見ながら、子どもたちが「～が上手になったんだよ」「なかなか上手くいかなくて、いっぱい失敗したけどできたよ」など（25. シコウサクゴ）しながら（26. ジョウタツ）したこと、「運動会で○○くんに勝ったよ」などの（27. タッセイ）感を味わったことなどを教えてくれました。

また、（5. シュウリョウショウショ）（6. ジュヨ）の場面では、なかなかみんなの前で返事をすることができないTちゃんに対して、「（28. ガンバレ）」と（29. オウエン）したり（30. ハゲマシ）たりする姿が見られました。そのとき、私は（31. ツウロ）で（22. ユウドウ）していましたが、なかなか前に出て来られなかったTちゃんを援助するよう先生からご指導いただきました。（32. ボウカン）的なかかわりになってしまったことを反省しています。与えられた役割だけでなく、（33. トッサ）の対応や（34. リンキオウヘン）に援助を考えていく必要があったと反省しました。

【自由遊びの部分実習指導案】

<table>
<tr><td colspan="4">＜子どもの実態＞ 小学校（10. シュウガク）や卒園式を楽しみに待つ姿が見られる。</td></tr>
<tr><td colspan="4">＜ねらい＞ 友達と幼稚園で過ごす楽しさを十分に味わうと共に小学校への関心を持つ。</td></tr>
<tr><td colspan="4">＜内容＞ 好きな遊びに取り組む中で友達と一緒に活動する楽しさを十分に味わう。</td></tr>
<tr><th>時間</th><th>環境構成</th><th>予想される子どもの活動</th><th>援助の留意点</th></tr>
<tr>
<td>9：30

10：00

10：30

10：45</td>
<td>＜保育室内＞
テラス　文集作り　ブロック　お店屋さんごっこ　ままごと　ロッカー
＜園庭＞
複合遊具　砂場　ブランコ　鬼ごっこ　ボール遊び　園舎
（35. イチリンシャ）
・明日も（36. ケイゾク）しそうな遊びの場は、可能な（37. ハンイ）で保存する。</td>
<td>○好きな遊び
・保育室ではごっこ遊びや製作等、園庭で（38. ナワトビ）、鬼ごっこ、（35. イチリンシャ）等をして遊ぶ姿が見られる。
○文集作り
・まだ書いていない子どもは文集のメッセージを書く。
・書きたいことが思い浮かばず（25. シコウサクゴ）する子ども、書けない文字がある子どもがいる。
○片付け・移動
・遊びの場を片付け、（20. ユウギシツ）に移動する。
・遊びを続けている子どもがいる。
○卒園式練習</td>
<td>・文集のメッセージを書く場を作る。
・全体の子どもの様子を（39. ハアク）し、遊びが（40. テイタイ）している場を中心に援助を行う。
・雨天時には、保育室内に遊びが集中するため、遊び始めるときに場の整理を行うよう援助する。
・幼稚園生活に対する思いを聞いたり、文字を教えたりしながら必要な援助を行う。
・子どもが納得できる内容が書けるよう援助する。
・片付けて、（20. ユウギシツ）に移動するよう声を掛ける。
・年長児全員が集まらなければ卒園式の練習を始めることができないことを伝える。</td>
</tr>
</table>

1.		2.		3.		4.	
5.		6.		7.		8.	
9.		10.		11.		12.	
13.		14.		15.		16.	
17.		18.		19.		20.	
21.		22.		23.		24.	
25.		26.		27.		28.	
29.		30.		31.		32.	
33.		34.		35.		36.	
37.		38.		39.		40.	

column 美化語とは

敬語の一種で、言葉づかいを上品にして、敬語表現を含む文全体のバランスをとる語です。

言葉の前などに「お」「ご」をつける形式と、言葉を言い換える形式の２つに分類されます。

例：お菓子、お薬、お掃除、ご挨拶、ご機嫌、

めし（飯）→ごはん（ご飯）、はら（腹）→おなか（お腹）、しる（汁）→おつゆ（お汁）

保育現場で美化語は話し言葉として、「おなかがいたくなったらお薬を飲みましょう」「朝のご挨拶をご一緒に」「ご飯は残さず食べましょう」など使用されています。これら保育者が用いる現代の一般的な話し言葉は、保育を通じて子どもたちに受け継がれていきます。

ただし、これら美化語は書き言葉、特に公的な文書である保育日誌の記録では用いませんので、注意が必要です。以下の例のように客観的かつ明確な語を使用して日誌を記しましょう。

例：✕ おなかが痛いときにはお薬を飲むように子どもに伝えた。
O 腹痛のときには服薬するよう、子どもに伝えた。

✕ 朝のご挨拶をクラス全員でご一緒に交わした。
O 朝の挨拶をクラス全員で交わした。

✕ ご飯は残さず食べるよう、伝えた。
O 食事を残さないよう、伝えた。

column 「子ども・子育て支援新制度」とは

「子ども・子育て支援新制度」とは、「子ども・子育て関連３法」に基づいて、乳幼児期の教育や保育、地域の子育て支援の量の拡充や質の向上を図るために、2015（平成27）年度にスタートした新たな保育制度です。「子ども・子育て関連３法」とは、2012（平成24）年に制定された「子ども・子育て支援法」、「認定こども園法の一部改正」、「子ども・子育て支援法及び認定こども園法の一部改正法の施行に伴う関係法律の整備等に関する法律」の３つの法令です。

この制度では、地域の実情に応じた乳幼児期の教育・保育の一体的な提供と保育・子育て支援の充実を目指しています。新制度のもとでは、施設の利用にあたって、市町村から保育利用の必要性に関する認定を受ける必要があります。認定には１号認定から３号認定までの３つの区分があり、それぞれの区分に応じて利用できる施設や利用手続きが異なります。

内閣府では、「子ども・子育て関連３法」のポイントとして、①認定こども園、幼稚園、保育所を通じた共通の給付（「施設型給付」）及び小規模保育等への給付（「地域型保育給付」）の創設、②認定こども園制度の改善（幼保連携型認定こども園の改善等）、③地域の実情に応じた子ども・子育て支援（利用者支援、地域子育て支援拠点、放課後児童クラブなどの「地域子ども・子育て支援事業」）の充実、④基礎自治体（市町村）が実施主体、⑤社会全体による費用負担、⑥政府の推進体制、⑦子ども・子育て会議の設置、をあげています。

PART 2

保育の基本用語の意味を確認しよう

保育の現場で使用する基本的な用語の意味を確認しましょう。
また、その漢字が正しく書くことができているかも併せてしっかりと確認していきましょう。

1. 確認したい保育基礎用語

保育者養成校で保育を学ぶ際にテキストに頻繁に登場する保育用語は、保育実践の場で日誌など文書記載の際も使用する用語であり、話し合いや保育の研究を行う際に他の保育者と共通に理解しておかなければならない用語です。一般的な意味を持つ用語であっても、保育では子どもの主体性を大切に考えますので、保育用語として特別な意味を持つ場合もあります。それらの用語の中でも、特に保育者にとって意味を明確に理解し、正しく用いることが必要とされる基礎的な用語を確認しておきましょう。

教育（きょういく）

用語解説 人間の素質や能力の発展を助け、より豊かな人間として育つよう支援する活動です。社会の要請や現実的側面と連携して行われる傾向があります。幼稚園は学校教育を行う教育機関ですから、幼稚園では教育のみを行うものという誤解もあります。乳幼児期の教育にはかかわる大人の保育的配慮が必要であることから、乳幼児の教育的営みに対しても「保育」という言葉を用いるのが一般的です。「幼児教育」という1歳児以降、就学までの子どもを教育の対象とした用語もあります。

養護（ようご）

用語解説 保育所保育指針では、子どもの「生命の保持」と「情緒の安定」を図るために保育者が行う援助やかかわりと定義されています。養護は食事、排泄、睡眠等の生活の中で主に保育者が行いますが、その援助やかかわりを通して子どもの中に心情、意欲、態度等が育成される教育的側面を伴います。保育は養護と教育が一体的に行われる営みとされています。また幼稚園における保育でも、こうした生活の援助が行われており、養護の側面が含まれています。

支援（しえん）

用語解説 乳幼児の生育に関するさまざまな課題を達成したり、解決するための援助のことを言います。「子育て支援」に代表される、社会福祉や教育、医療等の分野から乳幼児の養育を行う人の不安や悩みに対応する取り組みも支援と位置付けられます。

この用語も確認しよう

援助（えんじょ）

援助は子ども一人一人の体験が成長・発達を促すよう考えられた保育活動を指します。具体的には、子ども自らが行動したいと思えるような興味が持てる働きかけや環境構成をすることです。なお、支援は側面から支えるという面が強く、援助は助けるという面が強いと言えます。

指導（しどう）

用語解説➡ 子どもが幼児期にふさわしい生活を送ることを通して、主体的に活動し、その心身の発達に必要な体験を得ることを促すための保育者による取り組みを「指導」と言います。子どもを指導する際に保育者は、一方的な計画を立てるのではなく、子どもと生活する中で、その行動や表現が意味する心情や興味を共感的に理解し、体験が子どもの成長に有意義であるかをよく考え、充実するよう配慮していきます。

この用語も確認しよう

指示（しじ）

指図すること、命令することです。「指導」と混同して使用しやすい用語ですが、子どもを始め他者に対して「～させる」などの命令的な表現は、日常の保育現場での記録や言葉掛けなどのかかわりでは、原則として使用していません。ただし、緊急時には使用します。

環境構成（かんきょうこうせい）

用語解説➡ 子どもが自分の力で成長していく環境を準備することです。子どもの発達に沿ったねらいや成長を促す経験や内容を踏まえて、子どもが興味・関心を抱き主体的な活動を行い、その結果、心身の成長が促されることを目的としています。指導計画における環境構成については、集団保育施設の保育室など限られた空間において、決められた時間内で保育のねらいのもと保育活動を行う際に、子どもを取り巻く、もの、人、時間、天候等、すべてが関連することに配慮して、保育者がつくり、子どもの状況に従って変化させる環境のことを言います（→ p.56、環境図、参照）。

指導案（しどうあん）

用語解説➡ 短期の指導計画案のことです。実習中の限られた時間内の保育活動について立てる計画を「部分実習指導案」と呼び、一日の保育活動について立てた計画を「全日実習指導案」、「責任実習指導案」などと呼びます。「指導計画」は保育を実施する際に必要な指導の計画であり、教育課程や全体的な計画をもとに、それぞれの時期のねらいや内容、環境構成、子どもの姿や活動の予想、保育者の援助について見通しを持ち、記していくものであり、子どもの状況に従って柔軟に修正するものです（→ p.54～57、3．保育の計画、参照）。

月齢（げつれい）

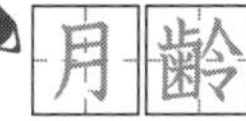

用語解説➡ 0歳、1歳、2歳、3歳……という1年単位での大きな年齢区分だけではなく、成長や発達をできるだけ細やかに見て行こうとする目的から、使用されるものです。生後1年未満の子どもの発達状況は大きく異なり配慮が必要となるため特に大切な視点として使用されています。

けんこうかんさつ
健康観察

ししん
視診

用語解説➡「健康状態の観察」などとも呼びます。乳幼児の健康状態を知るため、特に登園時に子どもの顔色や表情、全身を観察し、目やに、鼻水、発疹等の有無、傷病の有無、清潔等を確認することを言います。ほかにも昼食の食べ具合、午睡時の睡眠状況、表情、機嫌、元気さなど、保育中も適宜観察し、いつもと異なる様子が見られたら検温などの適切な対応をし、保護者へ連絡するなどの対応を取ります。「視診」という呼び方は、医学用語との混乱を避けるために使用しない園もありますので、各園の呼称を確認しましょう。

りょういき
領 域

用語解説➡ 保育において領域とは、子どもの育ちをとらえるための視点であり、“子どもを見る窓”とも言われています。領域には「健康」「人間関係」「環境」「言葉」「表現」の５つがあります。幼稚園教育要領では３歳以上、保育所保育指針および幼保連携型認定こども園教育・保育要領では１～３歳未満と３歳以上のそれぞれに「ねらい」と「内容」が５つの領域ごとに示されています（０歳は３つの視点として示されています）。これら各領域は学校教育における教科目とは異なります。つまり、保育においては「健康」としての運動遊びや「言葉」としての文字の指導というように領域別で行うものではなく、総合的に展開されます。

きはんいしき
規範意識

用語解説➡ 決まりやルールを守る意識のことを言います。幼稚園教育要領や保育所保育指針、幼保連携型認定こども園教育・保育要領にある「規範意識の芽生え」とは、子どもが自分の思いや考えを友達に受け入れられたり、受け入れられなかったりなどのさまざまなかかわりや経験を通して、決まりやルールの必要性や大切さに気づいていくことです。

きほんてき　せいかつしゅうかん
基本的な生活習慣

用語解説➡ 生命の維持に欠かせない、毎日の生活を送る上で習慣化された行為のことを言います。具体的には食事、排泄、睡眠、着脱衣、清潔の保持を指します。基本的な生活習慣の自立は子どもに無理強いをすることなく、個々の子どもの発達や家庭の状況を広くとらえ、長い期間で見守っていく必要があります。

きょうちょうせい
協 調 性

用語解説➡ 人間が備えている互いに協力し合う性質のことを言います。特に利害や立場が異なるもの同士が協力し合う傾向を言います。保育の場で協調性が芽生えるのは、一般的には５～６歳ころと言われています。このころには子ども同士でルールを決めて集団遊びができるようになります。

きょうどうせい
協 同 性

用語解説➡ 複数の子どもが集団の中でルールに従ってお互いに協力し、友達と活動する中で目的を共有し、物事を行うことを言います。協同性は子どもの社会性の発達に伴い、遊びの中で培われることが多く、４、５歳以降の発達段階で「協同遊び」が遊びの中で占める割合が増えます。協同性の育成には保育者による遊びへの働きかけが重要視されています。

せいさ
性差

用語解説➡ 男女の性別による違いのことです。生物学的な違いだけでなく、職業適性や価値志向の違い等の社会的・心理的差異も含みます。先天的な生物学的差異は若干の個人差はあるものの、普遍的な発達過程を遂げて認知されていく一方で、社会的・心理的差異に関しては下記の「ジェンダー」同様、取り巻く社会の価値観に従って、性差の意識に違いが生じます。

この用語も確認しよう

ジェンダー　社会的・文化的に形成される男女間の差異のことです。「男らしさ」「女らしさ」は「男はかくあるべき、女はかくあるべき」と社会が期待する行動様式を身に付けた結果であるので、その内容は社会や時代によって異なります。日常的な保育環境や保育行動を通して意識的・無意識的に教え込まれる傾向があるので、保育者の言動が生物学的に根拠のない性差別を生産しないよう心掛ける必要があります。

かっとう
葛藤

用語解説➡ 心の中に相反する欲求・動機・感情が同時に存在し、どちらを選択しようか決めかねて迷うことを言います。たとえば自分の欲求としてはAをしたいが、そうすると人から誘われたBができないといったような状態です。子どものある程度の葛藤は、選択要素を深く考え、自分で決定していく力の育ちを促しますが、選択肢の中に他者からの強制やいじめにかかわる否定的な葛藤要素がある場合は大人が留意する必要があります。

しんじょう
心情

用語解説➡ 一般的には、心の中の思い、気持ちを示します。幼稚園教育要領や保育所保育指針、幼保連携型認定こども園教育・保育要領の中でも「幼児期の終わりまでに育ってほしい姿」の資質・能力の一つとして「意欲」「態度」と共に示されています。子どもが自主的にかかわったり取り組んだりした結果としての内面的な充足感や肯定的な感情を表すことが主です。

かはい
加配

用語解説➡ 通常より保育者を多く配置することを言います。多くは統合保育の場で加配の保育者が配置されます。統合保育とは、心身に障がいを持つ子どもを幼稚園や保育所、認定こども園で受け入れることです。必要な支援を行うため、そのクラスに保育者の加配措置が取られることが一般化されています（→ p.50、統合保育、参照）。

けいちょう
傾聴

用語解説➡ 耳を傾けて熱心に「聴く」ことです。保育者が子どもの立場に立って、その思いや願いに耳を傾け、気持ちや心をていねいにくみ取り対応することを「聴く援助」と言います。保育者の傾聴により、子どもは気持ちを安定させ、心を開いて生き生きと自分自身を表現するようになるでしょう。また、これは保護者に対しても同様で、保護者支援の基本的姿勢と言えます。

どうせん
動線

用語解説 時間経過や子どもと保育者とのかかわりなどの保育状況の変化によって生じる人やものの動きを示す線のことを言います。園舎などの施設空間は子どもの動線とうまくつながるように配慮することが重要です。また保育者は保育環境の中で、いかに少ない動線で子どもとかかわり、保育することができるかを考えることが大切です。

どうにゅう
導入

用語解説 保育者は子どもたちの成長を願い、経験してほしい内容を具体的に考え保育をしています。その際に、子どもたちができるだけ興味を持ち自主的に行えるようにするための活動の始まりを導入と言います。手遊びを導入そのものと理解している人もいますが、集中を保育者側に向ける一時的な技術の一つです。保育活動を始めるに当たって大切なことは、子どもの生活を１日の流れの中で考える視点です。また、保育者側の育てたい内容と子ども自らの好奇心や探究心をとらえて、保育内容を導入することができれば、子どもの主体的な活動につながっていくことでしょう。

ふかん
俯瞰

用語解説 高いところから見おろし眺めることを言い、鳥瞰（ちょうかん）とも言います。指導案における環境図は保育室内や園庭の空間俯瞰による図示が基本です。また保育マップにおいて、遊具などの物的環境は俯瞰で描かれますが、子どもや保育者などの人的環境は行動や表情、発している言葉がわかるよう示されることが多いです。

こえか
声掛け

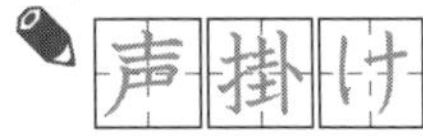

用語解説 保育者が子どもに対して、意図を持って言葉をかけることを通してする援助のことを言います。「言葉掛け」とも言います。保育者が子どもに共感や励まし、助言の声をかけることによって、子どもは保育者に対して信頼感を抱き、思いやイメージを明確にしていきます。子どもは保育者の声から発せられる言葉の情報を敏感に察知するので、指示的、命令的な言葉や不用意な言葉は避け、表情、声のトーンなどにも注意しましょう。

みた
見立て

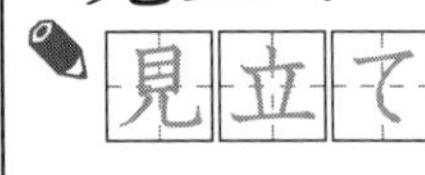

用語解説 子どもの遊びの中で、実際にあるものを見たときに、その特徴や機能の相似によってすでにイメージを持っている別のものを連想し、別のものとして見ていく見方です。象徴機能の一つと言えるでしょう。たとえば、ままごとでは花びらや草の葉を食材として「見立てる」などします。このような子どものごっこ遊びは、見立てを自由にできるかが、その活動の展開に影響を与えます（→ p.62、象徴機能、参照）。

引き継ぎ（ひつ）

用語解説 延長保育など、保育者が交替して保育を行う際に、子どもの安全を確保し、子どもの最善の利益を守るために、その担当を離れる保育者から担当につく保育者へ、子どもの様子など保育に必要な情報を口頭または文章による記録を通して伝えることを言います。

この用語も確認しよう

申し送り（もうおく）

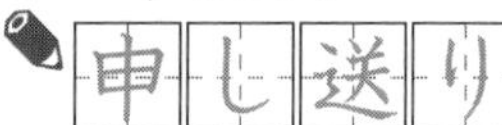

引き継ぎ時に、保育者から保育者へ子どもの様子を伝えることを「申し送り」と言います。申し送る内容は健康状態や生活の状況、特に留意すべき事項などです。病児保育の現場では保育者と看護師間で行われます。また、就学時には心身の健康状態などについて、集団保育施設長と小学校もしくは施設長間で申し送りがなされます。

省察（せいさつ　しょうさつ）

用語解説 自分の言動をかえりみて考えることです。絶対的な正解がない保育実践において、保育者は常時、刻々と変化する子どもと、子どもを取り巻く環境に即しながら対応をしていきます。そこには保育者の主体的なかかわりと専門性が必要とされます。それらの向上に向けて保育実践後に、保育中の子どもの言動や発生した事象を振り返り、その意味を考察して、翌日の保育へ生かすようにすることが大切です。

この用語も確認しよう

考察（こうさつ）

物事をあきらかにするために、よく調べて考えをめぐらすことを言います。省察と同じく、起こった物事に対して適切な考えや答えを求めていくことです。

column 保育における具体的な導入例

導入のポイントは、子どもたちが興味・関心を持って意欲的にその活動に取り組めるようにすること、そしてその内容は子どもたちの生活経験と結び付くものであることです。

絵本の読み聞かせの導入を例にあげると、たとえば『はらぺこあおむし』の読み聞かせの前に青虫の好きな食べ物や成長過程についてたずねたり、青虫の出てくる「キャベツの中から」という手遊びをしたりすることができるでしょう。あるいは、特別に手遊びやクイズなどをしなくとも、絵本に興味が持てるような声掛けをすることもできます。導入を考えるに当たっては、その絵本の読み聞かせに関する自分なりのねらいを意識することも大切です。

2. 保育の方法・形態

保育において子どもの活動と生活の中心は「遊び」であり、「環境を通しての保育」と「遊びを通しての総合的な指導」が保育の主要な方法と定義することができます。具体的に保育の方法を考える際に、保育者の子ども観や個々の保育現場の状況が考慮されます。たとえば子どもは集団か、個人か、また集団はどのように編成されるか、そして子どもの主体性や自由はどの程度保障されるかなどです。これらによって保育の形態が分類されていきます。ここでは代表的な保育方法と形態に関する用語について説明します。

通常保育（つうじょうほいく）

用語解説➡ その園や施設を利用する全員の子どもが在園する保育の時間帯に教育課程や全体的な計画に沿って実施される保育を示します。現在では、社会的な要請からさまざまな保育サービス（預かり保育、延長保育など）やさまざまな集団保育施設（幼保一体型施設、認定こども園など）を区別するために使用されることもあります（→ p.85 ～ 89、9. 子育て支援、参照）。

設定保育（せっていほいく）

用語解説➡ 保育者が一定の指導のねらいを持って子どもの活動を計画し、事前に設定して行う保育方法のことを言います。次に記した一斉保育と混同されやすい保育です。しかし、保育者が意図的に活動を計画し、設定することに意識がおかれるので、子どもの育ちを支えるという点においてその活動の意図が叶っているか検討が必要な保育方法です。

一斉保育（いっせいほいく）

用語解説➡ 同年齢や同一クラスの子どもたちに、全員同時に同じことを同じ方法で行うよう指導する保育のことを示します。保育理念としての一斉保育は、保育のねらいが効率的に達成でき、平等な指導が可能となるという保育者中心の保育観から発想されたものです。この場合、保育者のしっかりとした意図がないと、個々の子どもの育ちに応じた保育に欠ける部分が生じてしまいます。また、保育形態としての一斉保育は、自由保育との対比で使用されることが多いです。

じゆうほいく
自由保育

自由保育

用語解説➡ 子どもの自発的で自由な活動を尊重するという保育理念に基づく保育のことを言います。自由な活動は自由遊びや放任と混同されやすいものですが、自由保育は自由な活動が充実するよう、子どもの興味・関心を把握した上で保育者は環境を整え、活動が行き詰まったときにはヒントを与えるなど、子どものそのときの状況に合わせて援助する保育です。一緒に歌ったり、絵本の読み聞かせを集団で聞く活動も含まれるので、自由遊びという活動形態とは異なると言えるでしょう（→ p.63、自由遊び、参照）。

しゅうだんほいく
集団保育

集団保育

用語解説➡ 集団生活を通して行う保育のことを言います。集団保育の場は、多くの子どもにとって家庭を離れて初めて同年齢の子どもや保育者と出会い生活を共にする場です。個々の子どもの個性を認めながら、お互いに影響し合いかかわる楽しさを実感できる集団へ育つよう支援が必要です。保育者が集団を意識し過ぎると子どもを統制し管理された保育になることもあるので注意が必要です。そのようなときは集団であっても、個別に遊ぶ、一対一でかかわるなどの保育の工夫が大切です（→ p.63、集団遊び、参照）。

いねんれいじほいく
異年齢児保育

異年齢児保育

用語解説➡ 園内で異年齢の子どもたちを集めて一つの集団とし、年長児と年少児など異なる年齢の子どもたちでグループやクラスを編成したり、子どもたちによる相互のかかわりの中で豊かで貴重な体験を持つことを目的として行われる保育のことです。縦割り保育とも言います（→ p.50、縦割り保育、参照）。

こんごうほいく
混合保育

混合保育

用語解説➡ 子どもの数、保育者の数、保育室の数など、園側の物理的な条件によって、年齢別のクラス編成ができず、異年齢でクラス編成を行い保育をすることです。４歳児の人数が少ないので５歳児と共にクラス編成するなどが実例です。縦割り保育・異年齢児保育と同様に、異年齢によるクラス編成ですが、園の事情により編成されることが多く、人数によって雰囲気が異なるので、個々の子どもへの配慮が必要となります。

ごうどうほいく
合同保育

合同保育

用語解説➡ 幼稚園と保育所の子どもに同じ保育内容を与え、同じ経験をさせるという目的のもと、同じ場所において一緒に保育することを言います。保育の形態として、幼稚園の合同保育を行うもの、自由遊びや行事など特定の活動のみを合同で行うもの、保育の場として幼稚園と保育所を一体化した一体型施設で行われるもの、幼稚園と保育所を子どもが移動して行うものなどさまざまです。また、早朝、延長保育など、少人数の子どもを一緒にあるいは部分的に集めて行う保育も合同保育と呼びます。

未満児保育（みまんじほいく）

未満児保育

用語解説➡ ある年齢（○歳）未満の子どもを略して未満児と言います。一般的には３歳未満を指すことが多いでしょう。特に３歳未満の子どもは感染症などにかかりやすく、発育と発達の個人差が大きいことから、発育と発達状態、健康状態の観察を細やかに行い、個々の子どもの生活の流れに沿った保育を心掛けなければなりません。運動機能の発達に伴う事故を防止する取り組みや、自己主張の発現に対応した自主性を育む言葉掛けなど、適切な援助が必要とされます。

横割り保育（よこわりほいく）

横割り保育

用語解説➡ 年齢別に分けられたクラス集団を単位として行う保育のことを言います。年齢別保育・クラス別保育とも言います。日本ではもっとも一般的な保育形態です。担任も所属メンバーも原則的に１年間変化しないことから、子どもにとって居場所ができ、担任も子どもの様子を把握しやすいという有利な点があります。しかし、同じ年齢といっても発達の状況や生活経験、興味・関心など個人差があることを理解し、個々の子どもを見ていくことが必要とされます。

縦割り保育（たてわりほいく）

縦割り保育

用語解説➡ 横割り保育に対して異年齢の子どもたちを一つのグループとして活動を展開させることを目的とした保育のことです。異年齢児保育とも言います。同年齢の集団とは異なる、年長児が年少児に遊び方を教えたり面倒を見る、年少児が年長児から学ぶなどの人間関係が生じます。普段は横割り保育であっても希望制による土曜保育、休日保育の場では、縦割り保育が行われる園も多くあります（→ p.49、異年齢児保育、参照）。

担任制（たんにんせい）

担任制

用語解説➡ １つのクラスを１人もしくは複数の保育者が年間を通して固定的に担当する制度のことを言います。クラス担任が中心となりクラスの保育の計画・実践・記録・省察の流れで保育を展開していきます。子どもの家庭との連携、保育日誌の記録、指導要録・保育要録の記入などの事務も担任が行います。複数担任制では、保育者チームが話し合い、相互連携しながら協力して進めて行きます。１人担任制の弊害としてはクラスの子どもに援助や関心が集中しやすく、広い視野が持ちにくいこともあげられます。

統合保育（とうごうほいく）

統合保育

用語解説➡ 心身に障がいを持つ子どもと持たない子どもを同じ場所で一緒に保育することを言います。「統合」を英訳するとインテグレーション（integration）ですが、近年では「包括的」を意味するインクルーシブ（inclusive）という言葉と概念に変わりつつあります。統合保育では、障がいの有無を区別した上で、できる限り同じ環境で保育を行うことを目指しますが、インクルーシブ保育では、障がいの有無に関係なく同じ保育を行うことを目的としています。障がい児（者）を尊重する上でも、このインクルーシブという考え方は重要となっていくでしょう。

慣れ保育（なれほいく）

慣れ保育

用語解説➡ 幼稚園や保育所、認定こども園に初めて子どもが入園する際に行われる保育です。保護者と離れて子ども集団の中で過ごすという環境と生活の変化に子どもがとまどいや不安を抱かないよう、子どもが園での生活に慣れることを目的とした保育のことを言います。保育時間を通常より短くし、保護者と共に保育室で過ごす等、個々の子どもの状態に合わせて園での生活に慣れるような取り組みがなされています。地域によっても異なりますが「慣らし保育」と呼ぶところもあります。

クラス運営（うんえい）

クラス運営

用語解説➡ 教育・保育活動の目標を設定し、その目標を実現するために担任がクラスを運営していくことを言います。クラス担任制で保育を行う際にその最低の単位となるものがクラスであり、そのクラスを運営するのが担任の仕事です。具体的な業務として、保育のほかに保育室内の環境整備、教材研究、健康・安全管理、保育計画の立案、実践、記録、省察、家庭との連携、保育日誌・指導要録・保育要録の記入、学籍簿・健康診断表の帳簿作成と管理などの事務も行います。

園外保育（えんがいほいく）

用語解説➡ 子どもが自然や社会に直接触れることを目的とし、保育者が子ども集団と共に園外に出かけて行う保育のことを言います。日常の散歩や虫取り、芋掘りなどの自然体験から、観劇や音楽鑑賞会などの文化的活動、高齢者福祉施設や学校訪問など地域交流までさまざまな体験がありますが、どれも子どもたちの生活体験と感性を豊かにする経験として、安全面に配慮しながら子どもたちが十分に楽しめるようにします（→ p.64、戸外遊び、参照）。

家庭的保育（かていてきほいく）

家庭的保育

用語解説➡ 個人（特に保育経験者）の居宅やその他の場所（保育のために借りたマンション等）で、家庭的保育者が３人以下（家庭的保育補助者と共に保育する場合は５人以下）の子どもを保育して報酬を得る保育形態のことを言います。在宅保育とも言います。家庭的保育者は「家庭福祉員」「保育ママ」など、自治体によって呼称が異なります。大都市圏の保育所待機児童の増加を背景に児童福祉法に家庭的保育事業が法定化されました。事業が自治体の許可を受けるためには、家庭的保育者の要件や研修が定められています。地域において重要視される保育サービスの一つといえます。

check

個別担当制とは

特定の保育者が特定の子どもの保育を担当することを個別担当制といいます。保育所保育指針の乳児保育に関わるねらい及び内容の基本的事項には、「特定の大人との応答的な関わりを通じて、情緒的な絆が形成される」と乳児期の特性として示されています。特に０～２歳など、幼い子どもにとって、園が家庭と同様に安心して過ごせる環境となるよう個別担当制をとる園もあります。

コーナー保育（ほいく）

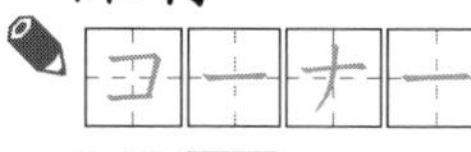

用語解説 保育者がある活動を意図しその展開を予想しながら、その活動に適した場所に、必要な道具や材料を配置し、子どもの生活や遊びの拠点となるよう構成した空間をコーナーと呼びます。これらコーナーを数か所、環境設定して行う保育のことをコーナー保育と言います。コーナーを設定する際には子どもの興味・関心・発達の状況に配慮する必要や、子どもが自らの遊びに合ったコーナーを創造できる援助が必要です。

恩物（おんぶつ）

用語解説 1837年にドイツの教育者で幼稚園の創設者フリードリッヒ・フレーベル（1782～1852）が考案した幼児教育の教材・遊具のことです。1890年代までの日本の保育は恩物中心でした。二十恩物に対応する「二十遊嬉」が幼稚園の保育科目となり、子どもを「恩物机」に座らせ、保育者の指示に従って恩物を用いた保育を一斉に展開する保育が行われました。しかし、決められた通りに行わなければならない恩物は、子どもの自由な育ちが求められるようになる大正・昭和期には次第に評価が低くなりました。

<恩物の一部>

第一恩物（六球）

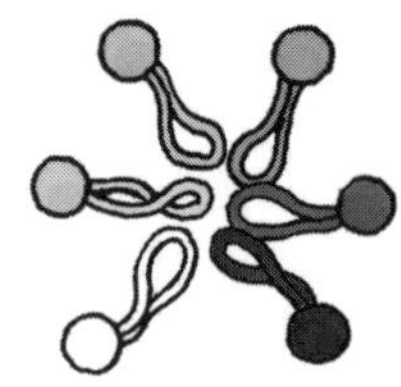

第二恩物（三体）

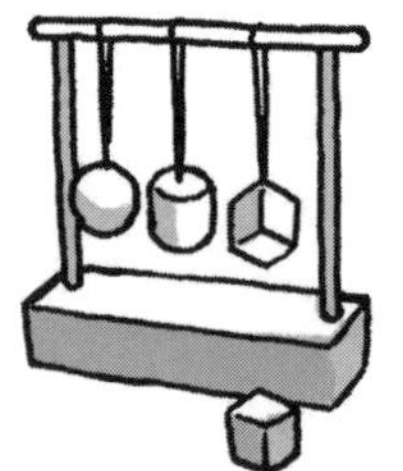

第三恩物（積木）

モンテッソーリ教育（きょういく）

用語解説 イタリア初の女性医学博士マリア・モンテッソーリ（1870～1952）が、ローマの「子どもの家」で行った保育・教育実践方法のことです。モンテッソーリ・メソッドとも言います。子どもは本来、活動的・創造的であるので、教育とは子どもを本来の状態に解放し「生を援助すること」であり、子どもの「敏感期」に合わせて適した環境を与え、その環境を通して子どもは学ぶというのが根幹的な思想です。子どもの活動に適切な教具が「モンテッソーリ教具」と位置付けられています。

<モンテッソーリ教具の一部>

ピンクタワー

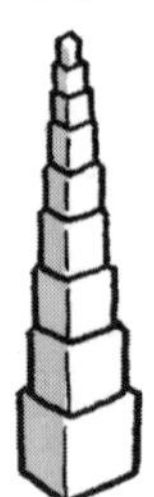

圧覚筒

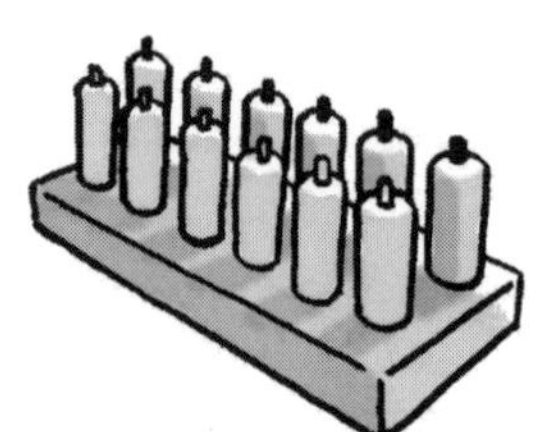

円柱さし

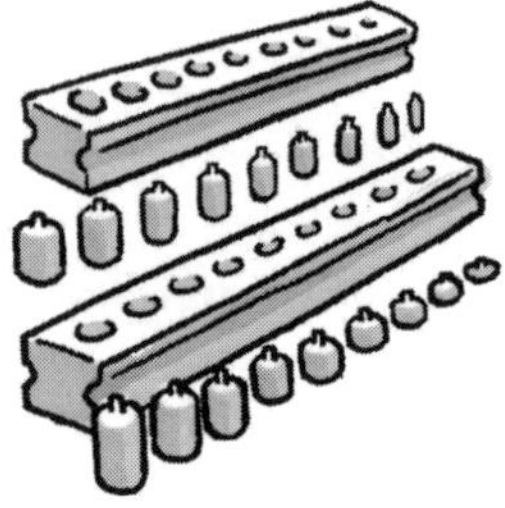

シュタイナー教育（きょういく）

用語解説 オーストリア出身の哲学者ルドルフ・シュタイナー（1861 ～ 1925）がドイツ・シュツットガルトに創設した「シュタイナー学校」で実践した人智学的教育理念（魂と身体の成長に着目し、「真、善、美」の世界との一体感を見出す人格育成の理念）に基づく保育のことです。弟子のグルネリウスが「シュタイナー幼稚園」で実践しました。子どもを「魂と精神と身体」からなる存在と見て、子どもが個性を生かして社会の中で自分らしく生きていけることを目的とした芸術重視、自然重視の保育に取り組みました。

早期教育（そうききょういく）

用語解説 乳幼児期に従来考えられているよりも早く特定の知識や技能の習得を目指す教育のことを言います。内容も文字・数・英会話の学習、バイオリン・ピアノ等の音楽教育、スイミング・ダンス等の運動教育とさまざまで、方法も遊びに近いものから「～式」といった系統だった教育方法までとさまざまです。乳幼児がすぐれた学習能力を持っているという知見から、乳幼児期に刺激を与えることで学習を促進することができるという考えに基づきますが、行き過ぎた教育により子どもらしい生活が奪われる弊害も認められています。

英才教育（えいさいきょういく）

用語解説 英才児（天才児）のための教育もしくは英才児（天才児）に育てるための教育のことを言います。前者は、極めてすぐれた知能や学力を持つ子どものための飛び級制度や才能を伸ばすための高度な教育を意味します。後者は乳幼児期に積極的な学習の刺激を与え英才児（天才児）にしようとするニュアンスを含みます。しかしながら、早期教育と同様に行き過ぎた教育により、子どもらしい生活が奪われ発達に歪みが生じるなどの懸念もあります。

才能教育（さいのうきょういく）

用語解説 子どものある能力を伸ばすことを目的とした早期教育のことを言います。具体的には語学、数学、音楽、美術、運動等の多分野にわたる能力を大人が学習の刺激を子どもに与えることによって行われます。たとえば、絶対音感は幼児期ほど身に付きやすいことから、音楽教育ではバイオリンのスズキ・メソードなど、乳幼児期からの教育を強調しています。当事者の子どもに子どもらしい生活が保障されているか配慮する必要があるでしょう。

情操教育（じょうそうきょういく）

用語解説 生活の中で、美しいもの、崇高なもの、愛しく慕わしいものなどを見たり聞いたりする中で、子どもが素直に感動し、その体験に心を奪われることによって、安定した気持ちと豊かな感受性、その感動を他に伝えようとする自己表現の能力を育てることを示します。そのような場面では、保育者は子どもの様子から何を感じているのか察知し、子どもなりの感じ方、見方に共感しながら保障する人的環境でありたいものです。

3. 保育の計画

保育は遊びを中心として行われるものですが、ただ好き勝手に遊ばせていればよいということではありません。子どもが望ましい発達がとげられるよう、一人一人の育ちを見通した計画的な保育が必要です。ここでは、保育におけるさまざまな計画の種類とその内容についておさえておきましょう。

きょういくかてい
教育課程

教育課程

用語解説 ➡ 幼稚園および幼保連携型認定こども園の在園期間全体を通して、子どもがどのような時期にどのような内容を体験しながら教育の目的、目標に向かっていくのかを示した計画です。教育課程はその他の指導計画の基礎となるものであり、すべての幼稚園および幼保連携型認定こども園が作成しなければならないものです。編成に当たっては、教育基本法、学校教育法、その他の法令や幼稚園教育要領および幼保連携型認定こども園教育・保育要領の示すところに従い、子どもの発達の過程や各園の人的、物的条件、それぞれの地域の実態等を十分に踏まえ、創意工夫を生かした特色あるものとすることが必要とされています。

ぜんたいてき　けいかく
全体的な計画

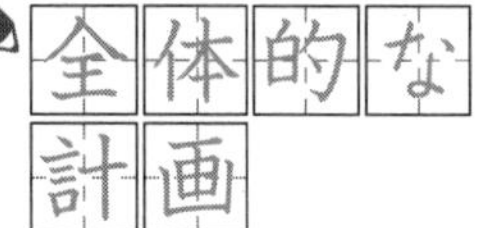

用語解説 ➡ 保育所および幼保連携型認定こども園では、在園期間全体を通して園の保育目標を実現するためにどのように保育を展開していくかを示した園生活の全体の計画を立てなければいけません。これを全体的な計画と言います。幼稚園でも1日の教育課程に係る標準的な教育時間を4時間としていますが、教育時間外に行う預かり保育（→ p.86、預かり保育、参照）などの教育活動の計画や学校保健計画、学校安全計画などと関連させ、一体的に教育活動が展開されるよう全体的な計画を作成しなければならないとされています。幼稚園や保育所、幼保連携型認定こども園いずれの場合も、全体的な計画の立案には、就学前までの乳幼児の生活を見通した一貫性と、子どもの状況に応じた柔軟性が求められます。

check

カリキュラム・マネジメントとは

「幼児期の終わりまでに育ってほしい姿」を踏まえて教育課程や全体的な計画を編成し、実施・評価し改善を図っていくことを、「カリキュラム・マネジメント」と言います。これらを通して、組織的・計画的に保育・教育の質の向上を図ることが求められています。質の向上に向けて、家庭や地域などの資源も含めた人的・物的資源を活用し、必要な体制を確保すること、計画・実施・評価・改善といったPDCAサイクルを確立することなどが大切です。

年間指導計画

年間指導計画

用語解説➡ 各園では教育課程や全体的な計画に基づき、1年間の子どもの育ちを見通して保育のねらいや内容、子どもの活動とそこへの保育者の援助を示した長期の指導計画の一つです。保育所においては、一人一人の在所期間や日々の保育時間の違いを踏まえた上で、それぞれの発達を保障するための工夫が求められます。

この用語も確認しよう

期間別指導計画（期案、期の計画、発達時期などの計画）
園における長期の指導計画の一つですが、年間指導計画や月案と異なり、暦に従った区分ではなく、子どもの姿が大きく変わる「発達の節目」で区切ったものを期ととらえ、それぞれの期を単位として作成する指導計画です。これはその園で生活する、その年齢の子どもの姿に合わせて作成される計画であるため、それぞれの期の長さはさまざまです。期間別指導計画か月間指導計画のどちらか一つを作成し対応する保育現場も多くあります。

月間指導計画（月案、月の計画）
教育課程や全体的な計画に基づき、1か月を単位として作成される長期の指導計画であり、その月の保育のねらいと内容、環境構成、援助のあり方等について具体的に計画したものです。月案では季節ごとの変化をとらえた保育を計画しやすいというメリットがある一方で、子どもの発達状況に応じた計画にはなりにくいというデメリットもあります。こうした考え方により、月間指導計画を作成せず、子どもの発達時期を単位とする期間別指導計画で対応する保育現場も多くあります。

週案（週の計画）
日案（日の計画）
週日案
1週間を単位とした指導計画を週案、1日を単位とした指導計画を日案と呼びます。また、これらを両方兼ねた指導計画として週日案があります。この形式では、1週間の保育を見通しながら日々の保育を計画することができるため、週日案を使用する保育現場は多く見られます。これらはいずれも短期の指導計画であり、日々の子どもの姿をとらえ、保育実践を構想するためのもっとも具体的・実践的な指導計画です。

デイリープログラム
保育所における子どもの1日の生活の流れを示した日課表のことを言います。発達の個人差が大きい乳児の場合には、一人一人個別に作成することもあります。日案と混同されがちですが、日案はその日の具体的な活動内容を計画したものであるのに対して、デイリープログラムは日々繰り返される生活のリズムを示したものです（→ p.56、check、参照）。

期間別指導計画　月間指導計画
週案　日案　週日案

環境図

用語解説 ➡「環境構成図」とも呼ばれています。保育を計画する際に用いる環境構成を図示したものです。物的環境だけでなく、保育者や子どもの位置、子どもの活動場所等も示すことができます。時間の流れを重視した指導案においては、そのときどきの活動場面に応じた環境構成が示されます。一方、遊びを中心とした保育においては、環境図を中心として子どもの姿、保育者の援助等を記入していく指導案の形式が多く用いられます（→p.43、環境構成、指導案、参照）。

遊びを中心とした指導案の一例

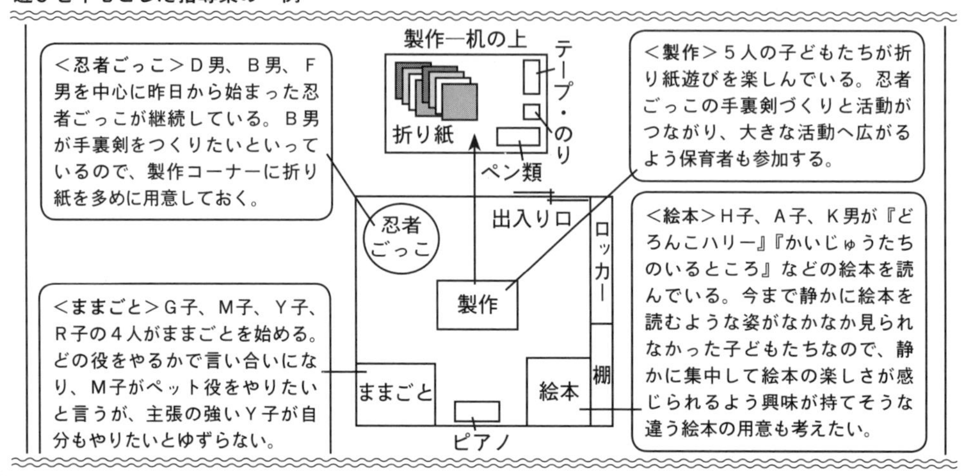

<忍者ごっこ>D男、B男、F男を中心に昨日から始まった忍者ごっこが継続している。B男が手裏剣をつくりたいといっているので、製作コーナーに折り紙を多めに用意しておく。
製作—机の上
テープ・のり
折り紙
ペン類
<製作>５人の子どもたちが折り紙遊びを楽しんでいる。忍者ごっこの手裏剣づくりと活動がつながり、大きな活動へ広がるよう保育者も参加する。
忍者ごっこ
出入り口
ロッカー
製作
<絵本>H子、A子、K男が『どろんこハリー』『かいじゅうたちのいるところ』などの絵本を読んでいる。今まで静かに絵本を読むような姿がなかなか見られなかった子どもたちなので、静かに集中して絵本の楽しさが感じられるよう興味が持てそうな違う絵本の用意も考えたい。
<ままごと>G子、M子、Y子、R子の４人がままごとを始める。どの役をやるかで言い合いになり、M子がペット役をやりたいと言うが、主張の強いY子が自分もやりたいとゆずらない。
棚
ままごと
絵本
ピアノ

check

デイリープログラムの一例

保育所では「デイリープログラム」に基づいて保育を行っています。「デイリープログラム」は、各園で各年齢のクラスごとに作成されるのが一般的です。下記に１歳児クラスと４歳児クラスの一例を紹介しますので参考にしましょう（→p.55、デイリープログラム、参照）。

時間	１歳児クラス
8:00	順次登園
9:00	好きな遊び
10:00	おやつ・好きな遊び
11:00	昼食
12:00	午睡
13:00	
14:00	
15:00	着替え・おやつ 好きな遊び
16:00	
17:00	順次降園

時間	４歳児クラス
8:00	順次登園
9:00	好きな遊び 設定活動など
10:00	
11:30	昼食準備
12:00	昼食
13:00	歯磨き・午睡準備
13:30	午睡
15:00	おやつ
16:00	好きな遊び
17:00	順次降園

column

３歳未満児の個別指導計画

指導計画は、年齢やクラスを単位として作成されますが、保育所においては発達の個人差の大きい０～２歳までの子ども一人一人については、個別の指導計画を作成しています。個別指導計画には、さまざまな種類があるわけではなく、月ごとに作成することを基本としています。そのため、月間指導計画の中に一人一人の子どもに関する内容が盛り込まれ、個別指導計画を兼ねている場合もあります。

column さまざまな保育の計画とその関係

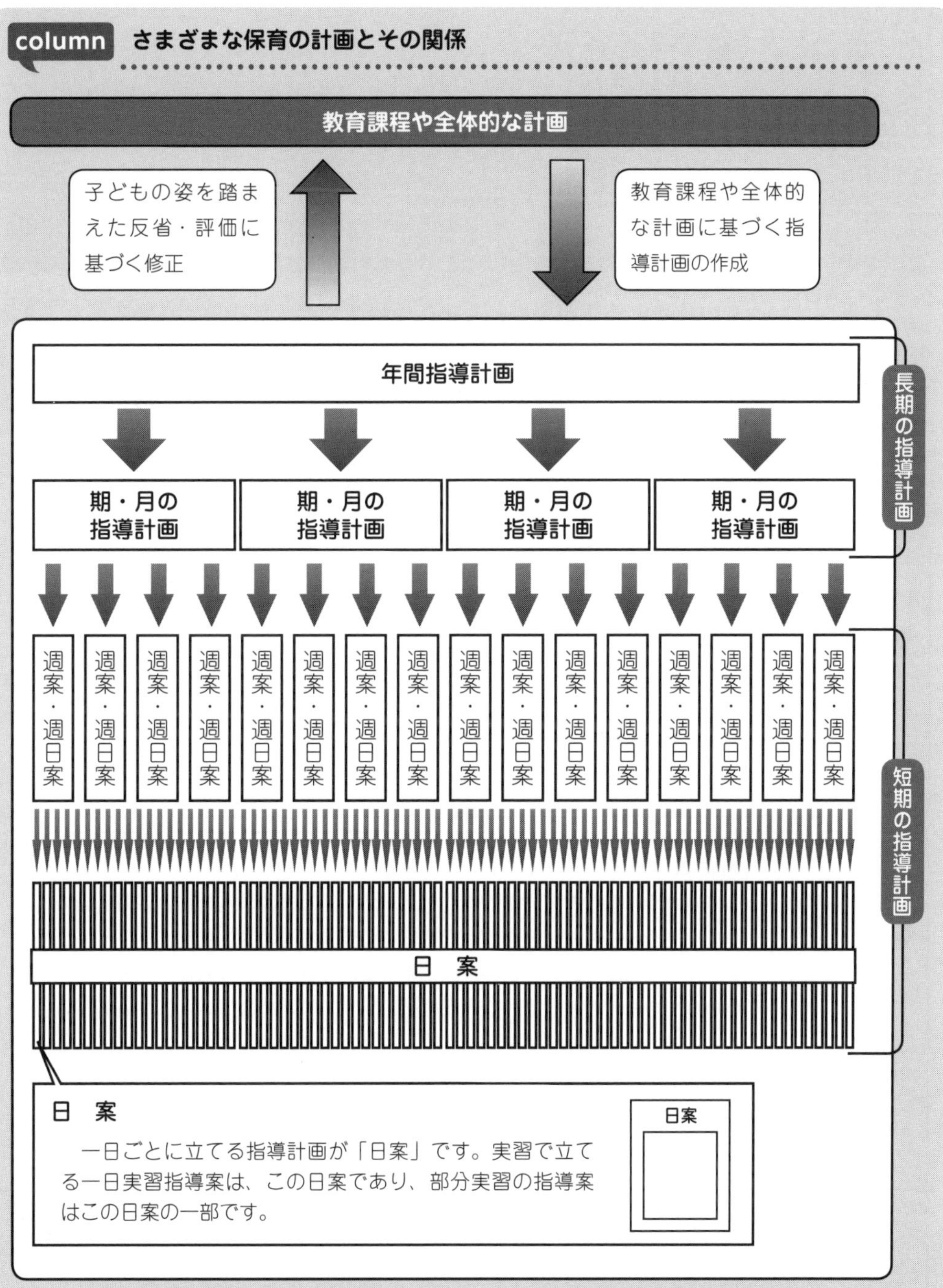

図のとおり、教育課程や全体的な計画→長期の指導計画→短期の指導計画へと下りていくにしたがって、より具体的かつ実践的な指導計画となっていきます。計画と子どもの姿の間にずれが生じた場合には、子どもの姿がどうであったか、それに応じた計画となっていたかなどを評価・反省し、日々の短期の指導計画だけではなく、長期の指導計画や教育課程や全体的な計画も修正していくことが大切です。

4. 子どもの発達

乳幼児期は、心身の成長・発達がもっとも著しい時期です。たとえば、誕生から１年が経つころには歩いたり、話したりし始め、大人と同じ食事を食べるようになります。また、目に見える変化だけでなく、自分や他者、ものに対する認識など内面的にも大きく変化していきます。ここでは、乳幼児期の子どものさまざまな発達に関連する用語のうち、特に保育と深くかかわりのあるものについて確認しておきましょう。

語彙（ごい）

用語解説 それぞれが使うことのできる単語のことを語彙と呼びます。子どもは１歳前後になると初めての言葉である初語（最初に獲得する言葉）を話し始めますが、最初は少ない語彙でさまざまなものを表現します。たとえば、「ワンワン」という言葉でキツネやネコといった毛で覆われた動物を表現したり、さらに広く四足動物全般を表現したり、子どもなりに共通性を見出しながら手持ちの語彙を工夫しながら用いるようになります。３～４歳ころには、大人との会話に不自由がなくなるほど語彙数が豊かになります。

喃語（なんご）

用語解説 生後１～２か月ころから機嫌のよいときに「アー」「エー」などの発声をするようになります。このようなクーイングと呼ばれる発声の時期を経て、やがて「ブー、マンマン」など子音と母音がつながった音を発声するようになります。これを喃語と言い、世界中のどの言語にも対応できる発音が含まれているといわれています。喃語は、コミュニケーションのために用いられているというよりも、発声すること自体を楽しんでいる場合が多いようです。しかし、喃語に対して大人がそれを繰り返して応答したり、喃語の意味や気持ちをくみ取って語りかけたりすることが、その後のコミュニケーションの土台となると考えられているため、応答的なやりとりが大切であると言えます。

一語文（いちごぶん）
二語文（にごぶん）

用語解説 １歳前後になると、子どもは１語でいろいろな意味を表現します。たとえば、「マンマ」という１語が状況やイントネーションによって「マンマ食べたい」「マンマがあった」など、さまざまな意味を示します。このように、１語で文と同じような働きをするものを一語文または一語発話と呼びます。さらに１歳半前後になると、「ブーブ　ナイ」「ワンワン　イタ」のように、２つの言葉をつなぎ合わせた表現を用いるようになり、これを二語文または二語発話と言います。

あいちゃく
愛着

用語解説➡ 特定の相手との情緒的な絆のことであり、ボウルビィによって提唱された概念です。乳児期には特定の大人（養育者）との間に愛着を形成することがその後の人との関係をつくるための土台となることから非常に大切であると考えられています。泣く、微笑む、声を発する、しがみ付く、後を追うなどの行動は、愛着を形成・維持するための愛着行動と呼ばれ、生後すぐから心身の発達に伴い段階を追って変化していきます。

あとお
後追い

用語解説➡ 子どもが愛着の対象となる特定の大人を求めて後を追うことを、後追いと言います。これは、情緒的絆（愛着）が形成された特定の大人（養育者）に対して見られる愛着行動の一つです。したがって、子どもの後追いは誰に対してでも見られるものではなく、母親などの愛着対象となる相手に対して１～２歳ころに多く見られます。

きょうめいどうさ
共鳴動作

用語解説➡ 生後間もない新生児が、目の前で舌の出し入れや口の開閉をして見せると、同じリズムで自分の舌を出し入れしたり、口を開閉したりすることがあります。このように新生児が他者の行動を反復するように行う行動のことを共鳴動作（新生児模倣）と言います。赤ちゃんは生まれながらにして、大人からの働きかけを引き出し、人とかかわる力を持っていることがわかります。

ゆびさ
指差し

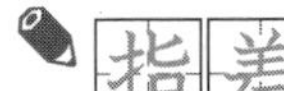

用語解説➡ 一般的に、初語の獲得前に指差し行動が見られるようになります。指差しは、親しい大人と何かを共有しようとする場合に行われます。自分の要求を伝えたり質問に答えたり、あるいは怖い、うれしいなどの感情体験を伝えたりと、指差しは言葉に代わる役割を果たします。また、指差しはコミュニケーションの基本となる自分、他者、指示対象が理解できていることを示す重要な行為であると考えられています。

こうちせい
巧緻性

用語解説➡ 運動の目的に合わせて、手足や体全体を使って効率的に動作を行う能力のことであり、保育においては主に手先の器用さのことを指しています。また、巧緻性は幼児期から学童期にかけて発達し、スポーツで必要とされるスキルのことを指す場合もあります。

check

腹這い（はらばい）

うつぶせの姿勢のこと、またはうつぶせの姿勢で這うことを言います。２か月前後には腹這いにすると頭を持ち上げるようになり、６か月を過ぎるころには腕で上半身を支えることができるようになります。さらに発達が進むと、腹這いの姿勢で手足を使って移動できるようになり、次第に膝を立ててハイハイができるようになります（写真は４か月）。

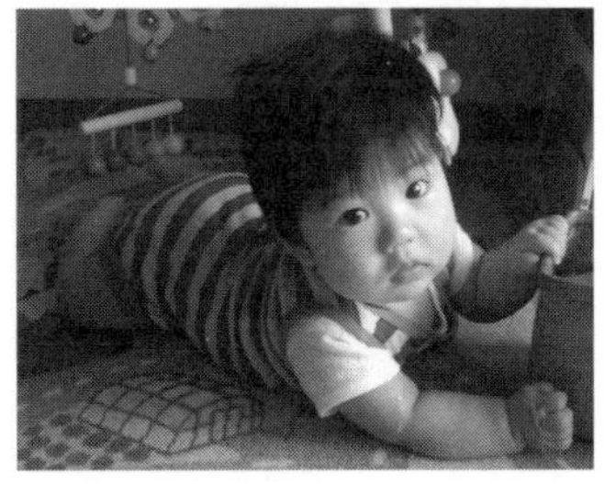

たんさくかつどう
探索活動

用語解説➡ 特定の大人との信頼関係を基盤として、子どもは積極的に外界に働きかけていくようになります。これを探索活動と呼び、座る、立つ、歩くといった発達に伴って両手が自由に使えるようになるころから、活発に見られるようになります。たとえば、なめる、触る、落とす、打ち付けるなど、探索活動を通して子どもは周囲の事物や自分の行為と結果との関係を知っていきます。また、こうした探索活動を通して身体能力も高まっていきます。

ごかん
五感

用語解説➡ 外界の物事を認識するための聴覚、視覚、嗅覚、味覚、触覚の５つの感覚のことであり、これらは誕生前後から機能しています。たとえば、新生児の視力は 0.02 程度ですが、光や模様のあるものに反応し、その方向に眼を向けることができます。また、聴覚は母親のお腹の中にいるころ（胎児期）から働いています。乳幼児期には、五感を十分に使った直接的な体験の重要性が指摘されています。

じここうていかん
自己肯定感

用語解説➡ 自分自身の身体的特徴、性格、能力などについて、よい面も悪い面も含めてありのままの自分を受け止め、自分が自分であることを認めるという感覚のことを自己肯定感と言います。乳幼児期には、この自己肯定感をしっかりと育てておくことが大切であると考えられています。また、類似する概念として、「自己有能感」「自尊感情」「自尊心」などがあります。

はったつかだい
発達課題

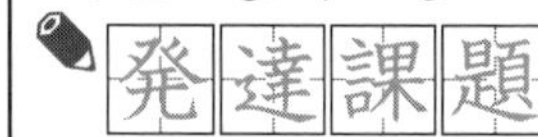

用語解説➡ 健全な社会生活を営むに当たって、人生のそれぞれの時期に達成すべき課題のことを発達課題と言い、それを乗り越えることを発達するという考え方があります。各段階においてこれを達成すれば、次の段階への移行も順調に進みますが、失敗すると次の課題の達成もむずかしくなると考えられています。発達課題はハヴィガーストによって提唱された概念であり、乳幼児期の課題には歩行の完成や言葉の獲得、排泄の自立などがあげられます。

はったつかてい
発達過程

用語解説➡ それぞれの子どもが通る発達の道筋のことです。これは「この時期までにこのような発達を遂げなければならない」といった到達目標ではなく、どのようなプロセスを経て子どもが発達していくのかを示した道筋として考えます。

発達段階（はったつだんかい）

用語解説➡人の発達の過程を一定の基準で区切ったものを発達段階と言います。人の心身の発達はさまざまな機能がそれぞれに関連し合っており、一定の基準で区切ることは容易ではありません。そのため、着目する機能によって、また提唱者によって発達段階の区分はさまざまです。

自我（じが）

用語解説➡発達の過程で、子どもは自分自身を他のものとは区別され交換することのできない独自の存在であり、自分はいつでも同じ自分であるという連続性を持った存在として認識してきます。このように認識できる主体のことを自我と呼びます。自我の芽生えは１歳６か月ころから見られるようになり、ものの所有をめぐって「これは○○ちゃんの！」と主張して他児と対立したり、自分でさまざまなことをやろうとしたりします。

個人差（こじんさ）

用語解説➡一人一人の心身の特徴は他の人との間に違いがあり、これを個人差あるいは個人間差異と呼びます。個人差が生じる要因としては、遺伝、環境、動機付けなどがあると考えられています。特に、心身の発達の著しい乳幼児期には、諸側面の発達の速度はそれぞれに異なります。そのため、保育においては一人一人の発達状況を理解し、それぞれに応じた援助が求められます。

自立（じりつ）

用語解説➡自分のことを自分の力で行うことです。それまで養育者の手助けによってしていたことを、幼児期になると自分でしようとするようになります。たとえば、衣服の着脱、排泄、食事なども自分の力でしようとします。子どもの自立を支えるためには、上手にやることよりも自分で進んでしようとする気持ちを尊重し、失敗しても温かく見守ることが大切です。

自律（じりつ）

用語解説➡他者からの制約を受けずに、自分自身でつくった規範に従って行動することを自律と言います。始めは養育者を中心とする大人の指示や禁止などを頼りに自分の行動をコントロールしていきますが、成長・発達に伴って次第に自分自身の内的な統制によって心身をコントロールするようになります。

第一次反抗期（だいいちじはんこうき）

用語解説➡２歳ころになると行動範囲が広がり、自分でできることが多くなってきます。それに伴い、「自分でできる」という意識が強まってきます。しかし、実際には一人ではやれないことが多く、自分の能力の限界を理解したり、欲求をコントロールしたりすることがむずかしいために、養育者と衝突することが多くなります。このような時期を反抗期と呼び、幼児期に見られるものを第一次反抗期、思春期に見られるものを第二次反抗期と言います。

ひとりあそび
一人遊び

ぼうかんあそ
傍観遊び

用語解説➡ 周囲に他の子どもがいてもあまり関心を持たず、一人で遊んでいる状態を一人遊びと呼びます。発達が進むにつれて、一人遊びよりも仲間遊びが多く見られるようになりますが、年齢と共に一人遊びをしなくなるというわけではありません。子どものその時々の興味・関心や遊びの内容によって、一人遊びは年齢にかかわらず見られます。また、他の子どもに関心を持っており、時折、遊んでいる子どもに話しかけたりはしても、遊びには入らず見ている状態を傍観的行動、もしくは傍観遊びと言います。

へいこうあそ
平行遊び

へいこうあそ
並行遊び

用語解説➡ 子どもたちが遊び場を共有して同じ遊びをしていながら、直接的にはかかわりを持たず、それぞれが独立して遊んでいる状態のことを平行遊び、または並行遊びと呼んでいます。提唱者であるパーテンは、遊びの発達段階を①傍観、②一人遊び、③平行遊び、④連合遊び、⑤協同遊びの５つに分類し、発達と共に移行していくとする考え方を示しました。平行遊びは、低年齢児や幼稚園の入園直後の子どもたちに多く見られます。

しょうちょうきのう
象徴機能

用語解説➡ 目の前にないものを、それとは異なるものに置き換えて表現することを象徴機能と言い、１歳６か月ころから２歳ころまでに獲得されると考えられています。たとえば、積み木をジュースに見立てたり、仲間とイメージを共有してごっこ遊びを楽しんだりすることは、象徴機能が発達しているからこそ可能なことです。象徴機能は、自分の内面で物事を取り扱うことができる力であり、思考や言葉の発達にとって非常に重要な機能であると考えられています（→ p.46、見立て、参照）。

アニミズム

用語解説➡ 破れた絵本を見て「絵本が痛がっている」と考えるような、すべてのものに生命や意思があると見なすことをアニミズムと呼びます。これは子どもが自分にとってもっとも身近な、目の付けやすい視点を基準に物事を判断する自己中心性の特徴であり、多面的に物事を判断できるようになるにつれて次第になくなっていきます。生命や意思を認める範囲によって、①すべての事物、②動くもの、③自分の力で動くものだけ、④動（植）物だけといった4つの段階に分けることができます。

check

頭足人（とうそくじん）

２～３歳ころから、頭から直接手足が出ている人の絵を描くことがあります。これは頭足人と呼ばれており、世界各国の子どもたちに共通して見られます。発達と共に顔と胴体が分化し、手足もそれらしく変化していきます。

5. 子どもの遊び

「子どもの生活はすべて遊びである」とはよくいわれる言葉です。

大人は、仕事・生活・遊びなど、時間の流れを区切りながら一日を過ごしていますが、子どもは、生活も学習もすべて遊びとして一日を過ごします。子どもは生活に必要なことの多くを遊びを通して身に付けていくのです。子どもの遊びは、主体的・能動的であることが大切です。また仲間同士で共通の目的などに向かって協力する協同性なども求められます。ここでは、子どもの遊びに関する基本的な用語について確認していきましょう。

自由遊び（じゆうあそび）

用語解説 ➡ 自由に遊ぶことです。自由遊びは子どもの自発性や創造性や、心情・意欲・態度の育ちを助けます。子どもが自由に遊ぶことができるよう保育者は、危険がないか見守り、遊びが広がるように、そのときの子どもたちの興味・関心に合わせ環境を整え援助します。子どもからこのような遊びがしたいなど、要求があった場合は可能な限り応え、もし行うことがむずかしい場合は、なぜできないのか理由も伝え、子どもたちの自由に遊ぶ意欲が高まるよう配慮しながら対応していきます（→ p.49、自由保育、参照）。

この用語も確認しよう

好きな遊び（すきなあそび）

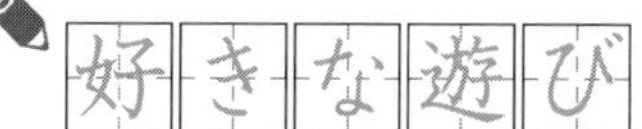

自由遊びと同義語です。子どもが気に入った遊びや子ども自身がやりたい遊びの総称を好きな遊びと言います。「自由遊び」という表現を使用している園と「好きな遊び」という表現を使用している園がありますので、実習などの場合、その園の使用している用語に合わせて、指導案や日誌など表記するようにしましょう。

集団遊び（しゅうだんあそび）

用語解説 ➡ 一人ではなく集団で遊ぶことです。気の合う仲間などの小集団（２人以上）からクラス全員など複数人で遊ぶ遊びを指します。友達同士やクラス全体でルールのある遊びや役割分担をしたりするなどして遊ぶことです。集団遊びでは、協調性、自己統制力などが養われ、ときにはリーダーとしての役割を担うこともあり、リーダーシップも育ちます。友達と遊ぶことの楽しさを経験したり、友達とのぶつかり合いの中から社会性も育ちます（→ p.49、集団保育、参照）。

こがいあそ

戸外遊び

用語解説➡ 屋外で遊ぶことを戸外遊びと言います。園庭で遊ぶ場合や公園など園外に行く場合、散歩に行く場合などさまざまです。戸外で過ごすことにより外気浴、日光浴などが自然にできるほか、室内より体を動かす量が多くなります。また、散歩などは、地域の人に声をかけてもらったり、店に並ぶ商品を見たり、畑の作物を観察したり、動物に触れたりと社会を知る機会にもなります。園内ではできない経験を多く積むことができます（→ p.51、園外保育、参照）。

すばなし

素話

用語解説➡ 絵本や紙芝居、人形などを使わずに「お話」をすることです。絵や人形を使わずに言葉だけで話をするため、子どもの想像力を培うことに役立ちます。特に準備の必要もないため、急に時間が空いた場合にも、手遊びなどと組み合わせて行うこともできます。素話は保育者の話術でストーリーのおもしろさを表現し子どもの心をとらえなければならないため、日ごろからの練習が重要です。昔話のストーリーを覚えておいたり、身のまわりにあることや起きたことなどを話にするなど心掛けるとよいでしょう。子どもの反応を見ながらその場で話をつくりながら語ることもできます。

えほん

絵本

用語解説➡ 絵本は基本的には絵と話から成り立っており、テーマに沿って絵や話が展開されていきます。保育の場で見られる絵本には、大型絵本・小型絵本・仕掛け絵本・布の絵本などさまざまな種類があります。表現方法も絵、写真、切り絵、貼り絵、版画などのものがあり、絵だけで表現されている絵本もあります。テーマも物語絵本、しつけ絵本、保育絵本、赤ちゃん絵本、知識絵本などがあります。絵本は、子どもの心の育ちに影響を与えるため、絵・ストーリーともに質のよいものを選びましょう。

check

絵本の読み聞かせ

絵本の読み聞かせは、膝などに座らせて子どもと一緒に読む場合と複数の子どもに読み聞かせる場合があります。絵本を選ぶ際の留意点は、年齢に合ったもので、絵やストーリーがその日の保育のねらいに合ったものを選ぶとよいでしょう。

読み聞かせの際の留意点としては、全員の子どもに絵が見えること、間違えてもなるべく読み直さないこと（話のリズムがくずれ、内容が理解しにくくなるため）などがあげられます。

てあそ

手遊び

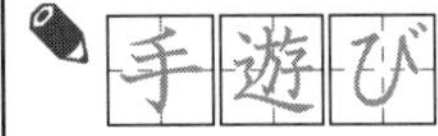

用語解説➡ 手遊び（指遊びも含む）は、歌や音楽に合わせて手や指で歌詞の内容を表現する遊びです。リズムをとって行う手指の細かい動きは、手指の巧緻性の発達を促し情操などの発達を助けます。手遊びには昔から伝承されているものや保育の中でつくられたもの、外国から入ってきたものなどがあります。自分の手や指がさまざまに変化したり、自分たちで形をつくる楽しさから子どもは手遊びをとても喜びます。そのため、子どもに集中してほしいときなどの導入にも役立ちます。その際はただ集中させるために行うのではなく、それに続く保育内容に配慮して取り入れましょう。また自分自身で手遊びをつくり実践すると楽しい活動となるでしょう。

紙芝居（かみしばい）

紙芝居

用語解説 紙芝居は集団で楽しむことができる日本独特の児童文化財の一つです。紙芝居と絵本の一番の違いは紙芝居が芝居であることです。絵を少しずつ引き抜きながら次の場面に移ったり、スピードを付けて引き抜いたり、途中まで引き抜いて話を展開したり、紙の中の絵が演じるという特徴があります。芝居としての雰囲気や楽しさを伝えるためには、紙芝居舞台を使用することは重要です。舞台を使わずに読んでしまう場合も多くありますが、舞台が用意できる場合は舞台を使って読みましょう。舞台を使用せずに読む場合も芝居であることを意識して実践するとよいでしょう。また、選ぶ際の留意点としては、絵本の場合と同様に、年齢や保育のねらいに合ったものを選びましょう。

舞台がある場合

舞台がない場合

劇遊び（げきあそ）

劇遊び

用語解説 劇遊びは、想像の世界で役割を演じて楽しむ遊びです。絵本の読み聞かせなどから、子どもたちが自然発生的に劇を演じて楽しむこともあり、それを発表会などで披露したりします。また、保護者向けの発表会のために子どもと劇の台本を選び、練習することもあります。劇遊びは3歳ころから始められ、始めは話の印象深いところのみの表現ですが、年齢が上がるにつれ、台本（せりふ）を自分たちで考えたり、簡単な背景であれば自分たちでつくって劇を演じ楽しむこともできるようになります。劇の仕上がりをよくしようと形通りに無理に教え込まず、子どもと楽しみながらつくり出していくような援助を大切にしましょう。

伝承遊び（でんしょうあそ）

伝承遊び

用語解説 伝承遊びは古くから伝わる、そしてこれからも伝えていきたい遊びのことです。たとえばお手玉、けん玉、独楽回し、羽根つき、カルタ、竹馬、折り紙などです。昔から伝わる楽しい子どもの遊びであると同時に、子どもたちに必要な手と目の協応や運動神経、手先の巧緻性などを育てる遊びが多くあります。

column 粘土の種類

一口に粘土といっても多くの種類があります。ここでは園でよく使用されるものを紹介します。粘土のべたべたやねとねとの感覚を経験することにより、いろいろなものにも触ることができるきっかけとなることも多く、感覚の発達も促します。それぞれのねらいにより使い分けましょう。

油粘土：粘土に油を混ぜることにより乾燥しにくく、何回でも使え、また手にも付きにくく扱いやすいという特徴があります。

紙粘土：工作用に広く利用されています。手に付きやすい粘土ですが、比較的扱いやすく彩色もしやすいものです。粘土そのものに色付けすることもできます。瓶や缶のまわりに紙粘土を付け、好きな形をつくることもできます。

小麦粉粘土：小麦粉に水を加えながら練り込んだ口に入れても安全な粘土です。好みの固さにつくることができ、食紅などを混ぜることで希望の色をつくることができます。

造形遊び（ぞうけいあそび）

用語解説 子どもは砂・泥・粘土、折り紙などを使った活動や工作などつくって遊ぶ活動を喜びます。広義にはこれらの活動全体を造形遊びと言います。保育現場では狭義に工作などの製作活動を指すことが多いようです。造形遊びでは構想力や創造性、豊かな情緒、人間性が育ちます。

この用語も確認しよう

フィンガーペインティング

フィンガーペインティングとは指で絵を描くことです。画材は小麦粉や片栗粉などでつくったのりに絵の具を混ぜたものを指や手に付けて描きます。つるつるの紙やビニール、プラスチック、ガラスなど絵の具だけでは描けないものに描くことができます。夏には体をキャンパスにして描くなど、ダイナミックなフィンガーペインティング（ボディペインティング）をすることもあります。

スクラッチ

日本語では、かすり傷・引っ掻く行為などと訳され、「引っ掻き絵」とも呼ばれます。画用紙などにクレヨンなどで色付けしたものを引っ掻いて絵として表現する手法です。子どもはスクラッチをするための画用紙の色塗りも喜び、自由にいろいろな色を塗り重ねることを楽しみます。スクラッチをすることで下地の色が現れ、趣（おもむき）のある絵に仕上がったりします。手先の巧緻性、創造性が培われます。

check

廃材を使おう

家庭から、不要となった容器や箱、トイレットペーパー、ラップの芯などの廃材を持参してもらい、子どもに自由に使うことができるようにして、表現活動を楽しんでいる園もあります。廃材ですので、子どもたちは自由に思い切り材料を使うことができます。また、さまざまな形、大きさ、色のものがありますので、ときには子どもの作品と思えないような素敵な作品ができることがあります。

column **のびのびと表現を楽しむための配慮**

造形遊びなどの汚れが伴う活動の留意点は、事前に汚れてもよい服に着替えておくことです。場合によってはシャワーの準備をしておくことが必要です。床には新聞紙やブルーシートなどを敷くなど、汚れに対する対応をしっかりしましょう。のびのびと表現させるためにも汚れに対する配慮は重要です。フィンガーペインティングなどの造形遊びは、創造性、表現力を培うほか、べたべた・ねとねと・ぬるぬるの感覚を経験することができるので感覚訓練にも使うことができます。また、緊張しやすい子どもの緊張を解くための表現方法として使われることもあります。

固定遊具（こていゆうぐ）

固定遊具

用語解説 ➡ 滑り台、ブランコ、鉄棒、雲梯（うんてい）、シーソー、登り棒、回転ジム、ジャングルジム、太鼓橋、ロッキング遊具などの大型遊具で、固定された遊具を一般的に固定遊具と呼びます。一般家庭には少なく、公園や幼稚園、保育所、認定こども園、小学校、児童館などに設置されている場合がほとんどです。子どもの粗大運動（大きな動きを伴う運動）や感覚統合訓練などに役立ちます。固定遊具での事故は子どもの転落、首を挟むなど大きなけがにもつながることも多いため、支柱の劣化など鉄製部分の管理に十分な注意が必要です。

巧技台（こうぎだい）

巧技台

用語解説 ➡ 平均台、跳び箱、梯子などを組み合わせて使う運動遊具です。室内でも使えるため雨天時の運動遊びなどにもよく使われます。また、運動会などでも多く使用されます。子どもの年齢や保育の目的に合わせて、組み合わせて使用しますが、組んだ際は、ぐらつきなどがないかをよく点検しましょう。組み合わせが悪いとはずれるなどし、子どもがけがをすることがありますので、十分な注意が必要です。また、育てたい能力により、組み合わせを変えることができるので、運動能力の発達や保育のねらいに合わせて組み合わせを工夫するとよいでしょう。

column　パーテーション（ついたて、仕切り）の活用

保育の場でよく使用されるパーテーションは、講堂など広いスペースを区切って保育をするときや、保育室内を分けて活動するときなど、落ち着ける広さの空間をつくる際に役立ちます。

保育の遊びの中でもごっこ遊びの家になったり、劇ごっこの楽屋になったり、お店やさんごっこの店同士の仕切りや壁になったりと、保育の幅が広がります。

また、健康診断のときや保護者との面接のときなど、いろいろな場面でも使用されています。

玩具（がんぐ）

玩具

用語解説 おもちゃと同意語です。玩具は子どもの遊びのためにつくられた道具であり、子どもが持てる大きさのものを指します。たとえば、ままごと道具や人形、おもちゃの自動車、アヒルや犬などの形をした引いて歩けるおもちゃのほか、知育的なおもちゃ（子どもの判断力・知的能力を伸ばすために考案された玩具）などを指します。

この用語も確認しよう

おもちゃ　「おもちゃ」の語源は、手に持って遊ぶものという意味で、古くは「持て遊び」と言いました。平安時代に「持ち遊び」となり、それがなまり「もちゃそび」さらには「もちゃ」と下が略され、接頭語の「お」が付き「おもちゃ」となったと言われています。明治期、国定教科書の小学校の全国一斉使用や国語統一運動の影響で、明治政府によって「おもちゃ」は「玩具」という漢字で示されました。おもちゃも玩具も同意語ですが、実習日誌などに漢字で記載するよう指導された場合は、「玩具」と漢字で書きましょう。

遊具（ゆうぐ）

遊具

用語解説 広義には、遊びに使う道具のすべてを指して遊具と言います。狭義には、固定遊具と同義に使われますが、遊園地やテーマパークにあるものも指す点が異なるでしょう。

鼓笛隊（こてきたい）

鼓笛隊

用語解説 行進用の音楽隊を鼓笛隊と呼びます。日本では、1950年代ごろより徐々に小学校で鼓笛隊がさかんになり、次第に園でも取り入れられるようになりました。鼓笛隊に加え、バトンやポンポンを使ったダンスなどの活動が加わる場合もあります。子どもの音感教育の側面もありますが、園によっては長時間練習を行う場合もあるようです。子どもの楽器を弾く喜びや音楽を楽しむ心を育てることが大切です。

column　環境教育とは

環境省は今の環境を未来につなぐための決まりなどをつくる国の機関として生まれ、「環境教育」として「３R」という社会全体が共有できるシステムを提案しています。

①リデュース（Reduce：ごみも、使用する資源ももとから減らす）
②リユース（Reuse：繰り返し使う）
③リサイクル（Recycle：資源として再び利用する）

幼稚園や保育所、認定こども園でも処分される帆立の貝殻を園の建設時の壁材に使用したり、保育教材に廃材を利用したり、エコ用品などを購入するなど環境を大切にする取り組みが行われています。自治体によってはエコを推進する園への特別な支援の取り組みも始まっています。

環境を破壊し資源を使いつくすという行いは、現代人を加害者にし未来の世代を被害者にしてしまうとも言われます。私たちは今、地球環境が限りある守らなければならない大切なものであることを子どもたちに伝えることが大切です。限られた地球資源、ものを大切にすることとは、どのように生きていけば豊かな環境の未来をつくり出せることができるのかなど、子どもたちと共に考えることが切実な課題となっています。

6. 生活と栄養

WHO（世界保健機関）では「健康」の意味を単に病気や虚弱ではないということではなく、身体的にも社会的にも精神的にもまた、スピリチュアル（生きている意味や生きがい）も良好で初めて健康な状態としています。保育者は子どもたちに衛生的な環境で栄養を保障し健康的な生活を図れるようにしていきながらも、一人一人の個人差を受け止めながら、子どもにとっての生活の快さを大切に保育を行っています。たとえば、おむつ交換の際に「きれいにしようね」「気持ちよくなったね」などのやさしい言葉掛けや温かなかかわりが、子どもの人間形成においても重要なかかわりとなります。ここでは、子どもの一日の多くの時間をしめる食事、排泄、睡眠など生活の中での用語を確認していきましょう。

しょくいく
食育

用語解説➡ 子どもたちの健全な心と体を育み、人の未来を保障するために生きる上でもっとも基本的な「食」の重要性を考え、計画的に実践するために知育、徳育および体育の基本となるべきものとして位置付けられたものです。子どもたちの豊かな人間性を育み、生きる力の基礎を培うために「食」を通じて子ども一人一人の生きる力を育てていこうとするものです。

しゅしょく
主食

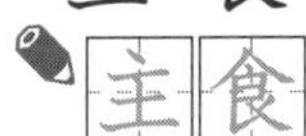

ふくしょく
副食

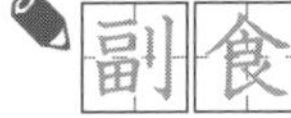

用語解説➡ 主食とはご飯、パン、麺などを指し、副食はおかずを指します。副食には主菜と副菜があり、主菜は肉・魚・卵・大豆製品などのメイン料理、副菜は野菜中心のおかずを指します。食育推進のための食事バランスガイドではバランスよく食事を選択できる方法として主食、副食の主菜、副菜、乳・乳製品、果物に分けバランスよく組み合わせることを推奨しています。

check

子どもの食事について家庭と連携

園では、1か月分の献立を示した給食便りを配付したり、保育ドキュメンテーションや連絡帳を通して子どもの園での食育活動や食事の様子を伝えています。特に乳児は、家庭が園での食事量も把握できるように、「主食：全部食べました」「副食：1/2 食べました」などと簡潔に表記し伝えています。子どもにとって家庭と園の一日を通してのバランスのよい望ましい食生活が営めるように配慮し家庭と連携しているのです。

調　乳（ちょうにゅう）

用語解説 粉ミルク（固形のものもある）をお湯で溶かしてミルクをつくることを言います。母親の健康等の理由から母乳ではない育児用ミルクを選択する場合に利用する人工栄養をつくる行為で、決められた一定の処方に沿って配合調製を行います。調乳には衛生的な調乳室で、清潔な白衣・三角巾・マスクを着用し、専用の洗浄消毒した哺乳瓶などの器具を使って行います。お湯や水がないところでも用意できる液体ミルクもあり、災害時などの備えとして役立ちます。

この用語も確認しよう

フォローアップミルク　育児用ミルクは母乳に替わる完全栄養食品ですが、フォローアップミルクは離乳食で不足しがちな栄養をとることを前提につくられたミルクです。しっかりと離乳が進んでいる上で与えることが必要です。フォローアップミルクの成分は、離乳食で十分とれると考えられる糖質や脂肪分は控えめに、不足しがちな鉄分、カルシウムなどのミネラルが強化されています。

冷凍母乳（れいとうぼにゅう）

母乳を衛生的に搾乳（さくにゅう）し専用のパックなどに入れ、冷凍保存したものです。母乳で育てることは、適切な栄養素の補給、免疫、良好な母子関係の形成の面から推奨されています。しかし、仕事を持つ母親は常に母乳を直接与えることはできず、断念せざるを得なかったところを冷凍することで、継続的に母乳で育てることを可能にしています。

check

調乳の留意点

調乳後２時間以内に使用しなかったミルクは廃棄します（FAO 国連食糧農業機関と WHO 世界保健機関に準拠）。また、乳首は吸う力などの個人差や赤ちゃんの好みで材質の違いや穴の形、大きさなどを配慮できることがあることも知っておきましょう。

check

冷凍母乳の解凍の仕方

冷凍母乳は母親が搾乳した母乳を冷凍保存したもので、園で使用する分を家庭から預かります。冷凍母乳は衛生的に預かる必要があり、預かる際には、子どもの名前、搾乳の年月日・時間を確認し、冷凍庫に保管します。授乳時間に合わせて衛生的な流水で解凍後、40℃くらいのお湯で湯煎します。電子レンジでの解凍は母乳成分を壊すため、必ず湯煎で行いましょう。

混合栄養（こんごうえいよう）

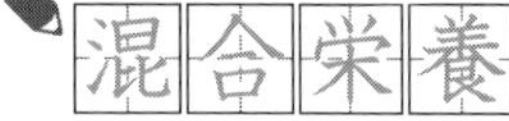

用語解説 母乳と人工乳（育児用ミルク）を組み合わせて栄養をとることを混合栄養と言います。赤ちゃんの栄養摂取は母乳が基本となりますが、母乳が十分に分泌されず、栄養が不足するときや母親の仕事の都合などで母乳が与えられない場合に、母親の選択を尊重し、人工乳を足して栄養をとるものです。

白湯（さゆ）

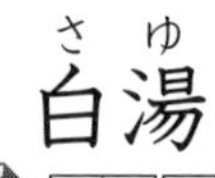

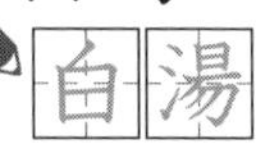

用語解説 水を一度沸騰させ冷ましたもので“湯冷まし”とも言います。主に乳児の水分補給に使用しますが、投薬指示書や与薬連絡票によって粉薬を飲ませる際に粉薬を溶かす場合も白湯を使用します。

じょきょしょく
除去食

だいたいしょく
だいがえしょく
代替食

用語解説➡ 食物アレルギーを持つ子どもたちのために、アレルゲンとなる食物を除去した食事のことを除去食と言います。アレルゲンとなる食物の代わりにほかの食物に置き換えて提供する食事のことを代替食と言います。保育所給食においては、いずれの場合も医師による診断書の指示で行い、提供献立の内容を保護者と共に確認した上で行います。なお、給食で対応がむずかしい場合には弁当を持参するなどします(→ p.80、アレルゲン、参照)。

check

宗教食

幼稚園や保育所、認定こども園では外国人の子どもの入園が増え、宗教食への対応が必要となっています。宗教的な制約や文化の違いによって特別な方法で用意した一部の肉しか使用できない場合や、調味料も制限がある場合もあり、園の献立をほとんど食べられないということがあります。

このようなとき、園側の都合だけではなく、一人一人がさまざまな背景を持つ個としての権利があることを考え、保護者の意見や考えにも真摯に向かい合いましょう。

けんしょく
検食

用語解説➡ 施設において給食を行う場合、給食の責任者が子どもたちに提供する配膳前に、栄養・衛生・嗜好的観点（味や子どもの好みなど）から実際に食べてみることを言います。検食は通常、園長（施設長）、栄養士が行います。

けっしょく
欠食

用語解説➡ 1日3回の食事のいずれかを欠いてしまうことを言います。忙しい朝の欠食がもっとも多く、心身機能の発達が著しい乳幼児期の朝食の欠食は特に問題になっています。しかし、ただ「食べさせてください」と伝えてしまうのではなく、なぜ欠食になるのかなど、保護者支援の立場で、各家庭の保護者の抱えている生活状況にも目を向け、支援していくことが大切です。

へんしょく
偏食

用語解説➡ 偏食は一般的には、食事における栄養素の偏りとも言われます。偏食の範囲は広く、自閉症スペクトラム障害の食の偏りから、子どもの好き嫌いの食の偏りまで含まれます。平井信義は「偏食の定義は非常にむずかしいもの」と述べています。できるだけ多くの種類をたくさん食べられることは、豊かな食生活を育てるために望ましいことですが、一方的な食事指導ではなく、発達年齢を踏まえ楽しく美味しく食べられるよう献立を工夫することも大切です。その上で、現代の子どもの生きる背景や子ども自身の抱える問題に寄り添う保育の原点を忘れずに、食べない子どもの援助を考えます。人間形成の基礎を培う場としての対応でもある食育の観点も踏まえ、対応に不安な場合は抱え込まず実習担当の保育者などに相談しましょう。

こしょく
個食

こしょく
孤食

用語解説➡「個食」とは、たとえば父親はカレー、母親はパスタ、子どもはハンバーグを食べるといったように、家族がそれぞれの好きなものを食べることを言います。また、「孤食」とは子どもが一人で食事をとることであり、この背景には核家族化、少子化による家族成員の減少や、保護者の帰宅時間が遅いこと等があげられます。こうした食習慣による生活の乱れに対して、食を営む力を育成する「食育」活動が保育の場でもさまざまな実践活動として取り組まれています。

column つかみ食べ

ミルクからおかゆ、半流動食から幼児食へと慣れていくものが離乳食です。食べることができる食品数が増えてくると、目の前のものをつかもうとし、それを口に持っていこう（目と手の協応）とする食に意欲のある子どもは、ただ、食べさせてもらっていることに満足せず、積極的に食べたい、自分から食べようとする行動が活発になります。

つかみ食べはスプーンや箸で食べることがむずかしい時期の子どもの自分で食べたい気持ちの表れですが、大人の思うように食べさせることができない時期の到来です。大人は食べた量を重視しがちですが、その日の体調や季節的な嗜好なども子どもの食欲には影響します。まずは、子どもの“自ら食べたい！”という気持ちを育てることが大切です。

特に９か月前後では、自分一人で食べようと、手のひら全体を使い挑戦しますが、上手につかめずに怒り出してしまうことも多いものです。食べることに夢中になりたくさんこぼすこともあります。安心して食べることができる環境を整えたり（こぼしたものをすぐ集められるボールや拭き取るタオルなどの用意）、見守る大人が時間をかけて待つことや子どもの欲求を尊重しながらなだめたり、手助けする工夫が必要となります。手づかみしやすいよう小皿を用意したり、食品も前もって切っておくなどの工夫をするとよいでしょう。

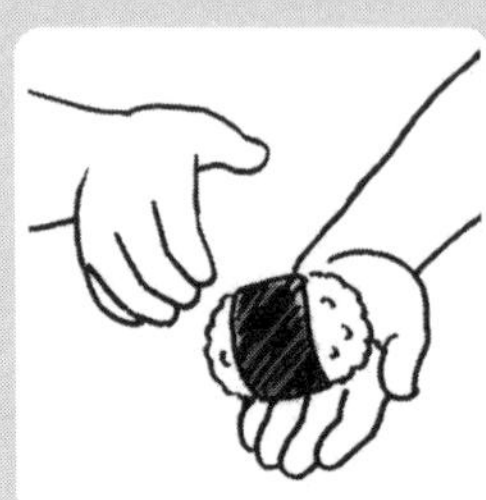

沐浴（もくよく）

沐｜浴

用語解説➡ 乳児が大人と同じ風呂ではなく、ベビーバスなどで入浴することを言います。保育では乳児の清潔と心地よいスキンシップを図ることなどを目的として行われます。感染予防のためにベビーバスなどを使用します。授乳前後は避け、体調に変化のあるときは行いません。また、衣類の着脱時には全身の様子（けがや皮膚の状態など）を確認しましょう。

check

園で行う沐浴について

園では産休明けからの赤ちゃんから０～１歳児クラスくらいまで、６月の終わりから９月中ごろまで気候に合わせ沐浴、またはシャワーを行っています。新陳代謝の激しい乳児の体をきれいに保ち、哺乳力を増し睡眠をよくする効果もあり、全身の観察ができる機会でもあります。

沐浴槽を使用するか、ない場合は半身がつかることができるようなものを使用しています。また、沐浴の後は水分補給を忘れずに行いましょう。

検温（けんおん）

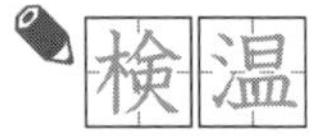

用語解説➡ 健康管理のため、子どもの体温を測ることを言います。特に長時間保育の乳児を預かる場合の健康の目安として、食後や運動直後を避け、登園時に保護者と確認しながら測ったり、午睡明けに保育者が測ります。プールなど特別な活動を行う場合は、幼児も家庭での検温を依頼します。じっとしていることのむずかしい低年齢児は、短い時間で計測できる電子体温計を使用したり、絵本を読みながらの検温など工夫をします。体温には個人差があり、薄着や厚着など着ている衣服や室内温度の影響、また午睡前は体温が高めになることなど、１日を通しても変化があることに注意しましょう（→ p.79、column、参照）。

睡眠（すいみん）

睡｜眠

用語解説➡ 人の眠りのことを言い、人間の基本的欲求の一つです。新生児は一日複数回の睡眠をとり、多くの時間を眠って過ごします。成長と共に次第に昼間起きている時間が増えていき、夜眠り、朝目覚めるという睡眠のリズムになります。乳幼児の睡眠時間は家庭での生活時間に影響を受けやすく、個人差も大きいことを留意しておきましょう。保育の場においては、一人一人の子どもにとっての睡眠が心地よい時間となるような配慮が大切です。

check

安心して眠れる睡眠を

睡眠は、もともと生理的な欲求から眠りにつくべきものですから、無理強いは情緒を不安定にしますので注意しましょう。愛着形成の影響も受けやすく、広い遊戯室などで安心して眠れなかった子どもが、区切られた保育室で特定の保育者と一緒だと安心して眠れるようになったという例などもあります。

入眠（にゅうみん）

入｜眠

用語解説➡ 子どもが眠りにつくタイミングを指します。眠りにつけない場合はまずその理由を考えましょう。環境は整えられているのか、心配ごとはないかなどです。「眠りなさい！」と強いるほど緊張で眠れなくなるものです。抱っこして絵本を読んであげたり、「まだ、起きていようね」と安心感を与えるうちに眠ってしまうこともあるでしょう。新入園児の場合は家庭での入眠の方法をうかがっておくとよいでしょう。お気に入りのタオルがある、耳たぶを触りながら入眠するなどの決まった入眠の仕方がある場合もあります。

午睡（ごすい）

午｜睡

用語解説➡ 昼寝とも言います。一般的には長時間保育の必要な乳幼児期の昼食後に眠ることを指します。乳児や低年齢児クラスの場合、午前中に眠る午前寝もあります。また、年長児クラスになると、昼寝のない小学校生活へ滑らかに移行できるよう、午睡の時間をなくしたり、徐々に午睡時間を減らしていくなどの取り組みを行っている園もあります。

column 「睡眠としての午睡」と「休息としての午睡」

一般的には、長時間保育の必要な乳幼児期の昼食後に眠る午睡（昼寝）だけと考えがちですが、必ず眠るのではなく体を横たえ休む、または静かにゆったりと過ごす休息も含めています。睡眠の原則は眠いときに眠り、自ら目覚めるようにしながら、徐々に睡眠と覚醒のリズムを整えていくものです。

乳児の場合は、まだ多相性睡眠（一日に複数回睡眠をとること）のため、午前中に眠る午前寝をしますが、4～5歳ころになると子どもによっては必ずしも午睡は必要ではないことから、午睡をしない園もあります。

園によってさまざまな取り組みが行われており、午前休息を園生活に取り入れ実践している園もあります。どのような取り組みも保護者と確認し、子どもにとっての心地よい休息や睡眠などの生活を園と家庭で協力して考えていくことが大切です。

排泄（はいせつ）

排泄

用語解説➡ 尿や便を排出することを言います（排尿・排便）。生まれたばかりの赤ちゃんにとっては排尿も排便も反射的なものでコントロールのできるものではありません。お尻に付いた何か不快なものに気づいてもらう、やさしく話しかけられきれいにしてもらうという、不快と快の経験を通して自発的に自立できるよう支えていきます。排泄の自立には体の発達も不可欠で、２歳ころに大脳皮質からの抑制路が発達し排尿反射が行えるようになりますが、快不快を感じる程度で短時間の抑制しかできず、排尿抑制がおおよそ確立されるのは３歳ころと言われています。早過ぎるトイレットトレーニングは子どもの負担を増すことになりますので注意しましょう。

この用語も確認しよう

排便（はいべん）　便を排泄することです。便は子どもの健康状態の確認ができる大切な情報です。また、排泄される便もその子どもにとって体から出た大切な一部でもあります。排尿も含め、過剰に汚いものという大人の対応は子どもの心を傷付けますので注意しましょう。

軟便（なんべん）　形状は固形化していますが、やや柔らかいものを言います。栄養を水分と共にとっている乳児の便は、始めはやや形がある有形便で、体の発達に伴う機能の成熟の中で固形化します。

緑便（りょくべん）　緑色の便のことを言い、胆汁色素のビリルビンの酸化の影響で、母乳栄養児に見られることがあります。そのため心配のないことも多い便です。しかし、便の状態は健康の目安になりますので、急な便の色や形の変化はないかなどしっかりと確認しましょう。

トイレットトレーニング　トイレで排泄ができるようになるための練習のことを言います。おむつでの排泄を行う乳児期からパンツを着用して自発的に一人でトイレで排泄ができるようになることです。洋式・和式トイレ、温水洗浄便座などを自ら操作して使用できるようになることもトイレットトレーニングの目的の一つです。

トレーニングパンツ　排泄の自立に向け、子どもがトイレットトレーニングを開始するときに使用するパンツのことを言います。長所は排泄を失敗してもまわりをあまり汚さない、外側から見ても気づかれにくいなどがあります。しかし短所としては、紙おむつと同様に排泄の失敗がわかりにくく、高価であるということがあげられます。

軟便　緑便

column　白色便、赤色便など便の様子を見る

離乳食を食べている時期は、前日に食べたものがそのまま便に出ることが多く、便の色はその影響でかなりの変化があります。ロタウイルスで白色便が出たり、細菌性胃腸炎で赤色便が出るなど病気が理由で色の付いた便が出る場合もあります。病気の心配があるときは、便をおむつごと取っておき、園医に知らせ保護者に伝え受診をすすめるなどの対応をしましょう。

check　トイレットトレーニングへの配慮

大人も緊張するとトイレが近くなることがあります。排泄はとてもデリケートで子どもの生活に大きく影響します。保護者の考えも聞き、園での方針とをすり合わせた上でスタートさせることが大切です。

7. 安全と健康・保健

すべての乳幼児が心身共に健康で安全な生活を送ることができるように見守り、その成長を支えていくことは私たち大人の責務です。寄り添う大人によって生命を守られ、愛され、信頼されるような生活の中で、子ども自らも自分の生命を守り、生命の大切さを知り学びます。ここでは子どもの命や健康にかかわる用語について確認していきましょう。

よぼうせっしゅ
予防接種

用語解説 人工的にワクチンを接種して、体に免疫をつくり重い感染症や伝染病にかからないようにするために行うものです。抵抗力の弱い乳幼児を健康かつ安全に集団保育を行うためには、子ども自身も接種しておくことが好ましく、園では入園前の接種の有無や入園後の追加接種なども記録し予防接種の状況を把握しています。予防接種法に基づき、努力義務のあるものと任意のものがあります。副作用もあり得るため、子どもの健康を考えた上で保護者の意向も大切にしていきます。

さいきんけんさ
細菌検査

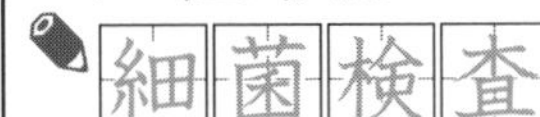

用語解説 細菌による感染を受けていないか、便や血液などからその有無を調べる検査のことです。保育の場においては、子どもの健康を考え日常的な衛生安全管理のために、在園の子ども、保育者および園職員（特に配膳および食事介助にかかわる調理師、栄養士、調乳保育士など）は定期的に検便等による検査を行っています。保育所および認定こども園の実習においても実習生は事前の細菌検査が必要となります。

check

感染症ボード

病気の感染拡大防止対策のために掲示するものです。その内容によって、子どもの命と健康を守るため全職員が感染症を理解していることを示し、送迎時の保護者や地域の人たちへ感染症発生の周知や予防を行うことを目的としています。感染症まん延防止のための園での取り組みの一つです。

目に付きやすい玄関などに掲示できるよう、マグネットなどで情報を素早く掲示する市販のものもあります（写真参照）。園の規模などにより大きさなども考え、独自のものを用意しているところも多いでしょう。また、掲示の際には、個人情報保護への配慮も必要となります。

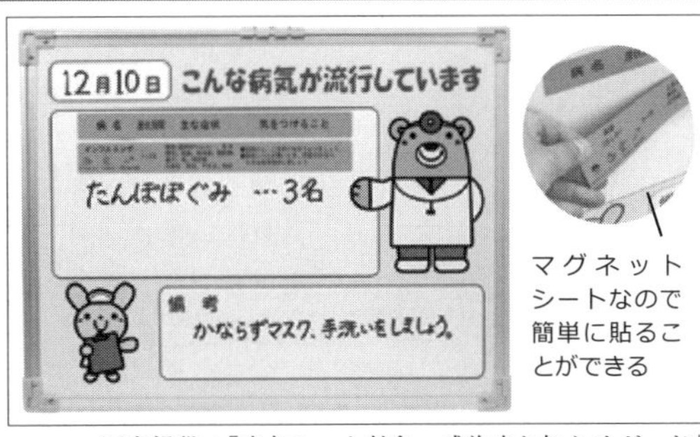

写真提供：「病名シート付き・感染症お知らせボード」世界文化社

かんせんしょう

感染症

感染症

用語解説 ➡ ウイルス・細菌・寄生虫・カビなどの微生物が人の体に感染して起こる病気すべてを感染症と言います。幼い子どもを集団で保育する園内では、一度感染症が発生すると園全体に広がりやすくとても危険な状況になりやすいため、常に予防や対応を考えておきましょう。最新の感染症情報は国立感染症研究所、感染症疫学センターのホームページで確認できます。

この用語も確認しよう

麻疹（はしか）　「ましん」とも呼び、「はしか」と平仮名でも表記します。子どもの発疹を伴うウイルス性疾患のもっとも代表的なもので、主な感染経路はせきやくしゃみなどの飛沫感染です。発熱２～３日して解熱後、再び高熱になり発疹が全身に広がります。乳幼児は重症化しやすく、地域ではやり出したら注意が必要です。一人でも発生したらワクチン接種の有無の確認をしましょう。

風疹（ふうしん）　はしかに似た症状で軽くすむ場合も多いことから三日ばしかとも呼ばれます。発熱と同時に発疹が顔から全身に出ます。免疫が十分でない妊婦が感染して、赤ちゃんの眼や耳、心臓に障がいが出る「先天性風疹症候群」が増え、出産前の免疫の確認や妊娠前の予防接種がすすめられています。

水疱瘡（みずぼうそう）　水痘（すいとう）症とも言います。ヘルペスウイルスの一種である水痘・帯状疱疹（たいじょうほうしん）ウイルスによって起こる感染症です。全身に粒状の発疹ができ、はしかに次いで感染力の強い病気です。ヘルペスウイルスは、初感染のあと、体のどこかに長い間潜伏することに特徴があり、あとから表面に出てくることがあります。接触後 72 時間以内に症状の軽減できる緊急接種が可能となっています。

突発性発疹（とっぱつせいほっしん）　生後６か月から２歳ころまでに見られ、子どもが生まれて初めて高熱を出したときに、この病気が原因であることが多いようです。発熱 4 日後ぐらいに急に熱が下がり発疹が出てきます。予後もよく比較的心配のない病気です。

プール熱（ねつ）　咽頭結膜熱（いんとうけつまくねつ）とも呼ばれ流行性角結膜炎（別名、はやり目）と同様にアデノウイルスにより起こります。高熱になり、夏から秋にかけてプールを介して流行することが多く、この名があります。感染者は気道、結膜、糞便等からウイルスを排泄しているため、30 日間程度はおむつ替えなど排泄時の注意が必要です。

出席停止感染症（しゅっせきていしかんせんしょう）　学校保健安全法施行規則に出席の停止期間が定められている感染症のことを言います。第一種から第三種まであり、第一種（エボラ出血熱、ペストなど）は治癒するまで、第二種（インフルエンザ、風疹など）は定められた一定期間もしくは病状により医師が感染のおそれがないと認めるまで、第三種（コレラ、細菌性赤痢など）は停止期間は定められていませんが、医師が感染のおそれがないと認めるまで出席することができません。これらの感染症については入園時に保護者へも周知しておきます。

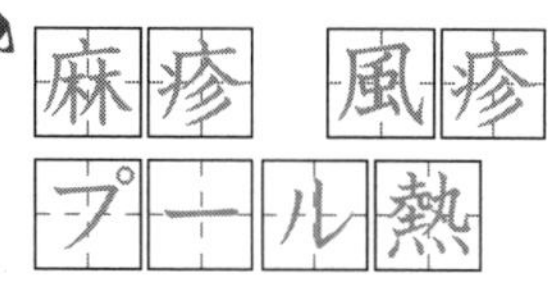

水疱瘡　突発性発疹

プール熱　出席停止感染症

column 新型コロナウイルス感染症（COVID-19）と園での対応

新型コロナウイルス感染症（COVID-19：coronavirus disease）とは、SARS-CoV-2と呼ばれるウイルスが原因で起きる感染症です。2019年末頃に発生し、世界中で流行し、感染が拡大しました。症状は通常、ウイルスに感染して4～5日後に現れると言われていますが、長ければ2週間後に症状が出ることもあります。一方、まったく症状が出ない無症状者もいます。現れる症状には、主に発熱、咳、息苦しさや喉の痛み、関節痛、嗅覚・味覚異常などがあげられます。人から人へと感染するため、人と話したり、咳やくしゃみをしたりするときに飛沫をあびる飛沫感染と、手指にウイルスが付着し、それが口や鼻、目などの粘膜から体内に入り込んでしまう接触感染が主な感染原因となります。感染対策としては、「マスクをする」「手洗い・消毒をする」「換気をする」「人と人との接触を避ける（一定の距離を置く）」などが必要となります。

園などの集団生活の場でも同様の感染対策が求められます。手洗いの徹底や保育室内などの定期的な換気や消毒が必要です。また、保育者や子どもの定期的な検温も実施したり、感染状況に応じて、戸外や室内での子ども同士の距離を保てる遊びや感染のリスクが高い活動（近距離で歌をうたうなど）を控えるなどの工夫も行っています。子どものマスクの着用については、WHO（世界保健機関）では、5歳以下の乳幼児については必ずしも推奨されていませんが、子どもの年齢（自分でマスクの着脱ができるおおよそ2歳以上）は、活動場面に応じて適宜マスクの使用の検討も必要でしょう[※1)]。

一方で、「ヒトは他者との接触なしには生存できないこと。身体接触が脳と心の発達に重要な経験であること」[※2)]などの研究も示されています。感染対策と共に子どもたちが安心して他者とのかかわりがもてるような工夫を模索し続ける姿勢も保育者は同時に求められているのです。

※1）一般社団法人全国保育園保健師看護師連絡会「保育現場のための新型コロナウイルス感染症対応ガイドブック」第3版、2021

※2）明和政子他「乳児期の身体接触を伴うマルチモーダル相互作用経験によって、乳児の触―聴覚情報の統合が調整される」Developmental Cognitive Neuroscience（オンライン版）、2017

check

湿疹と発疹

湿疹は皮膚病でありそれだけで病名です。発疹は病気によって現れる皮膚の様子、病変の表現を言います。そのため、はしかの湿疹などとは言わず、はしかの発疹と言います。

しつじゅんりょうほう
湿潤療法

へいさちりょう
閉鎖治療

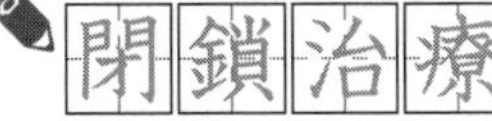

用語解説➡ 本来、体が持つ自然治癒力を利用し免疫の力で行う治療法で、一般的な家庭にも浸透してきており、園の研修でも行い実践する園も増えてきています。傷を閉鎖し乾燥させないようにすることから、湿潤療法、閉鎖治療と呼ばれています。軽いけがには、消毒薬を使わず、きれいな流水のみでしっかりと洗い流し汚れをとり、すぐ白色ワセリンなどでおおい、傷を乾燥させないようにします。同様の効果のある絆創膏なども市販されています。ただし、判断がつかない場合は病院で受診しましょう。

check

子どもの傷への配慮

肌も柔らかい乳幼児の生活の場である園では、ちょっとしたことでも引っ掻き傷をつくりやすいものです。特に顔の傷の治り際に太陽にあたると、痕が残ることがあるので気を付けましょう。当然のことですが、保護者にとって大切なわが子の顔の傷などは、保育者が思う以上にショックを受けていることが多いものです。けがの経緯、対処法なども伝え、ていねいな対応を心掛けましょう。

喘息（ぜんそく）

用語解説 さまざまな原因で気道が狭くなり、繰り返して喘鳴（ぜんめい）（ゼーゼーヒューヒューという呼吸音）、咳、呼吸困難が起こるものを喘息と言います。症状は軽度から重度まであり、それぞれに応じた適切な対応が必要なため、入園時前に面談を行い園医、主治医との連絡方法や対応の方法を保護者とよく話し合っておきます。

過呼吸（かこきゅう）

用語解説 過度に呼吸をすることで、酸素過多の状態を言います。呼吸を多くする運動の後になる場合が多く、精神的なストレスなどが要因で過呼吸の症状になることは過換気症候群と言います。症状としては、呼吸困難やふらつき、息苦しさ、手のしびれ、耳鳴りなどで、立っていることができなくなる場合もあります。対処法としては、紙袋などを口に当て落ち着いた状態でゆっくりと呼吸し二酸化炭素を増やす方法が一般的です。

保健計画（ほけんけいかく）

用語解説 子どもの健康と安全を守り、その健やかな成長を支えるための計画です。保育所においては保育所保育指針に基づき、全体的な計画を踏まえ、子どもの発達過程に沿って、養護と教育の両面から作成します。幼稚園では幼稚園教育要領を踏まえ学校保健安全法に基づき計画を作成します。学校保健を教育の中でとらえ位置付けることと、生きる力として教育を通じて身に付けていくことが望まれる計画となります。幼稚園・認定こども園の１号認定の子どもの「預かり保育」（→ p.86、一時預かり、預かり保育、参照）が増え、心身の負担への配慮である養護面についても重視されています。

掃除（そうじ）　清掃（せいそう）

掃除

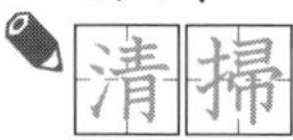

用語解説 整理や片付け、また掃除機をかけたり雑巾などで拭くなどし汚れを取り除くことを一般的には掃除と言います。保育の場では、乳幼児への衛生面から菌やウイルスなどを除去し、清潔に保つために消毒液などを使用し掃除を行います。これを清掃と呼んでいます。

column 嘔吐物処理セット

嘔吐物を処理する際の消毒の仕方を紹介します。流行性嘔吐下痢症、感染性胃腸炎（ノロウイルス）などの集団感染を防ぐためには、適切な予防と処理が必要になります。突然の発生時にもあわてず対応ができるように厚生労働省の「ノロウイルスに関するQ＆A」に準じたセットを用意し対応しています。

<用意する物>

・ペーパータオル（新聞紙）
・500ml のペットボトル２本
・ポリ袋　２枚以上
・使い捨てのマスク、手袋、エプロン
・次亜塩素酸 Na（殺菌消毒液や漂白剤）
・床用：水 240ml（ペットボトル約 ½ の水）、漂白剤：ペットボトルキャップ２杯分
・汚物用：水 200ml（ペットボトル約 ½ 弱の水）、漂白剤：ペットボトルキャップ２杯分

常備薬（じょうびやく）

用語解説➡ 園に常備してある薬です。園で用意する薬品の選択は園医と相談して決めます。安全と衛生的な保管のために専用棚を用意します。長く使用しない場合もあるので、有効期限に注意し、定期的に点検の上、入れ替えをします。薬に添えられた説明書はよく読み、いつでも確認できるように保存しておきます。

☞ check

投薬指示書（与薬連絡票）

保育者は子どもに薬を与える権限や資格がないため、個人の判断や保護者からの口頭での依頼による与薬などを行うことができません。医師が診察し処方したものに限り、依頼書を持って、保護者の代わりに園の看護師や保育者が与薬をしたり、薬を塗るなどの行為をすることができます（日本保育保健協議会ホームページ「保育園とくすり」に取り扱い方の基本が示されている）。

経口薬（けいこうやく）

経口薬

用語解説➡ 口から服用する飲み薬のことです。内服薬とも言います。子どもの健康管理は保護者の責任であり、基本的には子どもに飲ませる投薬行為は、保護者が行うものですが、やむをえず医師の処方のもと保育者や看護師などが与えなくてはならない場合は、書類などを交わし十分に注意して行います。

column　子どもの発熱

病気にかかると発熱するのは体を守るための防衛本能です。いつもと様子が違う、抱っこしたときに熱く感じたときは検温し体温を確かめます（→p.72、検温、参照）。熱性けいれんへの対応のため事前に家庭から薬を預かる場合がありますが、座薬は冷蔵庫で保管します。発熱時の対処として水分補給しながら、水まくらや市販の冷却シートでの対応、高熱時は脇やひざの後ろ、首の後ろなど本人の気持ちのよいように冷やしてあげるとよいでしょう。熱が上がりきっておらず、寒気があるときは布団をかけ、温めてあげるとよいでしょう。

SIDS（Sudden Infant Death Syndrome/ 乳幼児突然死症候群）

用語解説➡ 今まで元気に過ごしていた乳児が何の前ぶれもなく、睡眠中などに突然、死亡することです。予防のため「自由に寝返りができるようになるまでのうつ伏せ寝の禁止」「きつい衣服を着せない」などのほか、「乳児の環境内での禁煙」「母乳栄養をすすめる」があります。乳児の異常死についてのデータの整理が厚生労働省でなされていますが、保育所ではその約９割が入所して１か月以内に起きていることから「慣れ保育」がむずかしい場合、特に環境ストレスに十分な配慮が必要なことがわかってきました。

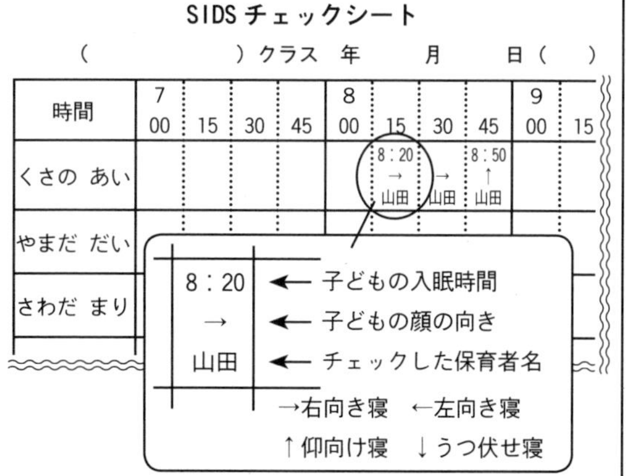

SIDS チェックシート

（　　　　　）クラス　年　　月　　日（　）

時間	7 00	15	30	45	8 00	15	30	45	9 00	15
くさの あい						8：20 → 山田	→ 山田	8：50 ↑ 山田		
やまだ だい										
さわだ まり										

SIDS チェックシートの一例です。15 分間隔で乳児の様子を体に触れ呼吸を確認しています。

アレルゲン

用語解説➡ 免疫の働きが過剰に反応してしまう状態を、アレルギーと言い、その原因物質をアレルゲンと言います。給食やおやつに除去すべきアレルゲンとなる食品があれば、どの程度除去を行うのか（完全除去、部分除去）、または弁当持参となるのかなどの対応の判断を行います。アレルゲンは食品のみならず、動物の毛や虫除け薬の成分などさまざまであるため、アレルギーのある子どものアレルゲンをしっかりと把握しておくことが重要です（→p.71、除去食・代替食、参照）。また、アレルゲンは空中にも存在しており、食物を口にしなくても肌荒れのアトピーのある乳児は、掻くなどするとその傷から悪化因子としてアレルゲンが入り、アレルギーの悪化の要因にもつながります。肌に刺激がないよう衣服や環境を整え保湿を心がけ、できるだけよい状態に保つようにしておくことも大切です。

アナフィラキシーショック

用語解説➡ 特定の物質によって起こる重篤なアレルギー反応のことを言います。呼吸困難、吐き気、全身のじんましん、意識混濁などの症状を引き起こし、生命にかかわる場合もあります。原因は食物のほか、ハチ毒、へび毒などがあげられます。食物アナフィラキシーの可能性のある子どもは緊急避難的な行為としてエピペン®（ショックを防ぐための補助治療剤：アドレナリン自己注射薬）を処方されている場合があり、その対応については「学校のアレルギー疾患に対する取り組みガイドライン」（日本学校保健会）および「保育所におけるアレルギー対応ガイドライン」（厚生労働省）に示されています。適宜改訂も行われるため、最新の情報をよく確認しておきましょう。

check

エピペン®

注射は、医療従事者、または本人が使用する場合に行うことが原則ですが、乳幼児の場合は自分でできないため、緊急避難的な行為として保育者や教師が注射を行う必要があるときのためのガイドラインが定められました。症状が起きたときの対応については、一人一人異なるため主治医からの指示を含め、保護者と確認もしておきましょう。緊急時の迅速な対応のために、これまで起こした症状の概要や対応の手順、また主治医、緊急時搬送病院、保護者の連絡先などを記入したカードを作成しておき、「緊急時対応カード」としてすぐに使用できるようにまとめておきましょう。それらは決まった場所に保管しておき、職員間で行うことや役割について共通の認識も持っておきましょう。

脱水症（だっすいしょう）

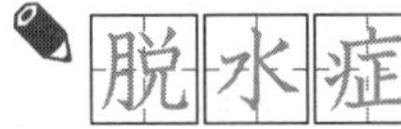

用語解説➡ 体内に必要な水分が急速に不足し、その変化についていけなくなっている状態を言います。高熱が続いているのに水分が十分に摂取できない、水のような便を何回もする、下痢に嘔吐も加わるなどが起こると、排尿の量が極端に少なくなり唇が渇きぐったりするなどします。口から飲めるときは白湯、イオン飲料、ORS（右記参照）などを摂取するようにしましょう。園での対応はあくまでも救急の処置であり、口からの水分補給ができず脱水症状が強いときは、すぐに医師に引き継ぎ病院での点滴などが必要です。

check

ORS

水に糖分と塩分を加えたもので子ども用のスポーツドリンクのようなものです。

WHO（世界保健機関）の提唱する経口補水療法の考え方に基づき感染性胃腸炎などにも適しており、軽度から中度の脱水状態にも有効な水分補給として市販もされています。

8. 障がい児保育・気になる子ども

すべての子どもの健やかな成長のために、国は「子ども・若者白書」（内閣府）において次代を担う「子ども・若者育成支援推進法」に基づき、子ども・若者の状況および政府の講じた施策実施状況を踏まえ、困難を有する子ども・若者やその家族の支援の必要性から、大切な一人一人としての取り組みをまとめています。すべての子どもの最善の利益と生きる力を育むために障がい児自身も主体性を持って生活を送ることができるための法整備もなされています。実現のためには周囲の人々の理解がとても重要になるでしょう。私たちは子どもに寄り添う専門性のある保育者として正しい知識やよりよい支援を学び、軽率に障がいのレッテルを子どもに貼ってしまったり、気になる行動を容易に子ども自身の責任であるかのように指導することがないように、ここでは障がい児保育、気になる子どもに関する用語と乳幼児期に見られる子どもの気になる行動についての用語を確認していきましょう。

療育（りょういく）

療育

用語解説 ➡ 障がい児に医療と養育・保育・教育を一体化して行うことを言います。「療」は医療、「育」は養育・保育・教育の文字からとってつくられた言葉です。障がいのある子どもには、医療と教育がそれぞれではなく、一体として支援していく必要があることを意味しています。療育という言葉は、「肢体不自由児の父」と呼ばれる高木憲次の造語です。また、2012（平成24）年の児童福祉法の改正で療育は「児童発達支援」と言う名称で制度化されました。

個別の支援計画（こべつのしえんけいかく）

用語解説 ➡ 乳幼児期から一生を通じた長期的な視点に立って、家族、医療、保健、福祉、教育、労働等の関係機関が連携して、さまざまな配慮を必要とする障がいのある子ども一人一人への対応を考えた個別の支援を実施するために立てる計画のことを言います。学校（幼稚園を含む）など教育機関が中心となって策定する場合には、「個別の教育支援計画」と呼んでいます。

check

保育所での個別指導計画と障がい者（児）への個別の支援計画

保育所で0～2歳児までの子どもに立てる個別指導計画は、個人差の大きい時期の子ども一人一人のために立てられるものですが、障がい者への個別の支援計画は基本的には、障がい者本人の意思と同意のもとに、他機関との連携をスムーズにするために立てる計画です。障がい児のために立てられる個別の教育支援計画は障がい児が園の中の子どもたちであるため、保護者の同意のもと、保育者や他の連携機関と相談しながら立てていく必要があります。また、地域や園によっては、日常の保育の中で気になる子ども、配慮を必要とする子どもを要配慮児・要支援児と呼んでいるところもあります。

発達障害（はったつしょうがい）

用語解説 ➡ 発達障害者支援法では発達障害は、自閉症、アスペルガー症候群その他の広汎性発達障害、学習障害（LD）、注意欠陥／多動性障害（AD/HD）、その他これに類する脳機能の障がいであって通常低年齢児において発現するものと定められています。

この用語も確認しよう

自閉症スペクトラム障害（じへいしょうスペクトラムしょうがい）

ASD：Autistic Spectrum Disorder

症状の現われ方やその程度はさまざまですが、自閉的な症状のいくつかが組み合わされて「自閉症」「広汎性発達障害」「アスペルガー症候群」「高機能自閉症」等の診断がなされてきました。近年、これらを「自閉症スペクトラム障害」として統一的にとらえるようになりつつあります。スペクトラムとは、ある症状に対しその有無ではなく、程度や頻度の差として連続的にとらえる考え方を指します。障がいを持たない人でもコミュニケーション上の困難を感じたことのない人はいませんが、障がいのある人の場合、その困難さの生じる程度や頻度が著しく社会生活にまで差し障るようになるため、特別な支援が必要であるととらえられるわけです。

注意欠陥／多動性障害（ちゅういけっかん／たどうせいしょうがい）

AD/HD：Attention Deficit / Hyperactivity Disorder

「注意欠陥」とは、ある対象に対して持続的に注意を向け続けることが困難な状態（不注意）や突発的な行動をとる状態（衝動性）で、「多動性」とは、じっとしていられない、しゃべり続けるなどが見られる状態です。これらの自分の行動をコントロールできない症状が見られる障がいのことを言います。

学習障害（がくしゅうしょうがい）

LD：Learning Disorders

基本的には全般的な知的発達に遅れはなく、聞く、話す、読む、書く、計算する等の能力のうち、「読み」だけが極端にできないなど、他の能力に比べて特定の能力に著しい困難を示す障がいです。

自閉症スペクトラム障害

注意欠陥多動性障害　学習障害

※ なお、発達障害については、アメリカ精神医学会が2013（平成25）年に改訂した『DSM-5』の日本語翻訳指針によれば、「自閉症スペクトラム障害」は「自閉スペクトラム症」、「注意欠陥／多動性障害」は「注意欠如・多動症」、「学習障害」は「限局性学習症」と表記されることになりました。しかし、保育現場では発達障害者支援法の表記や改訂前の診断名を使用していることも多いため、本書では現場でなじみのある上記診断名のまま解説しています。

check

自閉的な症状ってどんなもの？

イギリスの児童精神科医ローナ・ウィングが自閉症の症状として、「対人関係の障がい」「コミュニケーションの障がい」「イマジネーションの障がい（こだわりや興味の偏り）」の３つを特徴としてあげています。そのため、自分の思いや考えを伝えることが苦手で、想像力が乏しく、同じ行動を繰り返したりするなどの症状が見られます。

check

発達障害への子どもへの支援

発達障害の具体的な症状の一つ一つは頻度や程度に差があります。子どもができないことや、苦手なことの克服を目指すのではなく、積極的にできることを見つけ伸ばしていくようなかかわりが大切です。具体的には安心感や見通しを持ちやすい言葉かけなど、根気よく工夫して子どもに寄り添っていくことなどを行っていきます。

チック

用語解説➡ 体のどこかの特定の筋肉が、動かそうとしているわけでもないのに、ぴくぴくと動く不随意運動として起こる症状のことを言います。原因や治療法はわかっていませんが、ストレスも原因の一つではないかと言われ、ストレスがなくなることですぐに症状が消える場合も多くあります。トゥレット症候群と呼ばれる重症化するケースもまれにありますので、子どもの症状を見守り、他の専門機関と連携しながら適切に対応することも大切です。

吃音（きつおん）

用語解説➡ 吃音症とも呼ばれ、初めの言葉が出にくかったり、同じ発音の繰り返しが起きる、無音状態が続くなど、会話が円滑に進まない状態を言います。幼児期の本人が無自覚の場合は、言葉の問題に触れないように話を聞くなどで改善することもあります。子どもの心のサインとして保育者は受け止めながらかかわっていくことも必要でしょう。

場面緘黙（ばめんかんもく）

用語解説➡ ある場面や人には普通に話すことができるのに、異なる場面や人に対しては、急に話せなくなってしまうことを言います。選択性緘黙とも呼ばれます。無理に話させようと意識させず、まず子どもの気持ちを受け止めることが大切です。さまざまなコミュニケーションの方法を考えながら、子どもの気持ちに寄り添って意思の疎通をとるようにするとよいでしょう。

column　気になる子どもとは

「気になる子ども」とは、1990年代ごろから保育および教育現場で、自然発生的に使われ始め、やがて、学術的にも取り上げられるようになった言葉です。保育者の専門的観点から子ども理解をしようとしたときの「気になる」子どもです。

「気になる子ども」は保育で使われる場合と、特別支援教育で使われる場合で、ニュアンスが少し異なるようです。特別支援教育では、「気になる子ども」＝「発達障害」と限定される傾向がありますが、保育学では、発達障害的要因と家庭環境的要因（たとえば、虐待・養育力の欠如など）などからとらえることが多いでしょう。たとえば虐待の場合など、遺伝的要因がなくても、発達障害によく似た症状を示すことが多いので、結果的に「気になる子ども」ということになるわけです。

では、保育者として「気になる子ども」をどのようにしてとらえていけばよいでしょうか。まずは、保育者一人の個人的判断にならないように、複数の保育者の目で見ることです。「気になる子ども」の困難な状況がどのようなものなのか客観的に把握していきましょう。そして、発達上の問題と生活上の問題の2つをしっかりと把握していきましょう。その子どもの行動の遅れなどが「個人差」の範囲なのか、それとも「発達障害」として特別支援や専門家の介入の必要性があるのかを把握しましょう。また、生活上の問題としては、園内での生活の流れが「気になる子ども」の困難につながっていないか見ると同時に、家庭と連携して家庭環境についても把握していく必要があります。このように、園と家庭、場合によっては他機関と連携しながら、個々に応じて対応していくことが大切です。

自傷行為（じしょうこうい）

自傷行為

用語解説 ➡ 自分から壁に頭を打ち付ける、自分の顔を叩く、噛み付く、引っ掻くなどの行為を言います。激しいものから軽度のものまであります。障がいのある子どもにときどき見られますが、自傷行為の程度によっては、他の関係機関とも連携を取る必要があります。

自慰行為（じいこうい）

自慰行為

用語解説 ➡ 性器を何となくいじることは、緊張などから男の子などにはよくあることです。緊張場面がなくなるとやめることが多く、ほとんどは心配のないものです。ただし、昼寝時などに眠くないのに横になり、寂しさから自慰行動になることがあり、そのようなときは配慮が必要でしょう。

check

自慰行為を見付けたら!?

自慰行為をもし見付けたときはそっとしておくデリカシーは持つべきでしょう。そのことには触れず「もう起きる？」など声をかけたりさりげない対応をします。実習生の場合も同様ですが、担任の保育者にその状況を伝えるようにしましょう。過剰な反応をしてしまわないように気を付けましょう。

噛み付き（かみつき）

噛み付き

用語解説 ➡ 子どもが噛み付く行為で、気持ちの表現がむずかしい乳児期に現れやすいものですが、すべての子どもに見られるわけではありません。自分の思いを通そうと、また思い通りにならないいらだちのほか、愛情を試すように噛んだり、自分を噛むことに向かうことがあります。屈折した問題へは思いやりを持ち、ていねいな理由への整理が望まれます。

check

たくさんの愛情で情緒の安定を

自分の気持ちを伝えることがむずかしい乳幼児期の子どもの気になる行動は、大人から見ると他児と比較して問題に感じたり、攻撃的ではないかと考えることがあります。平井信義・本吉圓子『いじめと幼児期の子育て』（萌文書林、1996）では、十分に愛され情緒の安定している乳幼児に攻撃性はなく、基本的な子どもの情緒の安定の大切さを述べています。一人一人の愛情を込めた保育者のかかわりは、子どもの情緒の安定を図り、子どもたちから出されるサインを見逃さない保育につながります。たくさんの愛情を与え情緒の安定を図り、子どもたちのサインを受け止め保育をしていきたいものです。

column **多様性について**

多様性を尊重する取り組みが広がっています。多様性といっても、性別や人種、環境、価値観などと多岐にわたります。

保育の場においては、発達障害のある子どもや外国にルーツのある子ども、経済的に困窮している家庭の子どもなど、さまざまな背景を持つ子どもたちがいます。しかし、どの子どもも一人一人には個性があり、同じ子どもはおらず異なる存在です。お互いの違いを受け入れ、よさを認め合い、「人はもともと多様であり、違ってよい」という考えのもと、しなやかに多様性を尊重する保育での取り組みが求められます。

9. 子育て支援

近年では子育て家庭のさまざまなニーズに対応するため、保育施設、保育内容、運営形態は多様化しており、在宅子育て家庭への支援も広がりを見せています。また、保育者には子どもの保育だけでなく、保護者支援が強く求められています。ここでは、養育上の課題を抱える家庭への対応までを視野に入れ、子育て支援に関する用語を確認しておきましょう。

次世代育成支援（じせだい いくせいしえん）

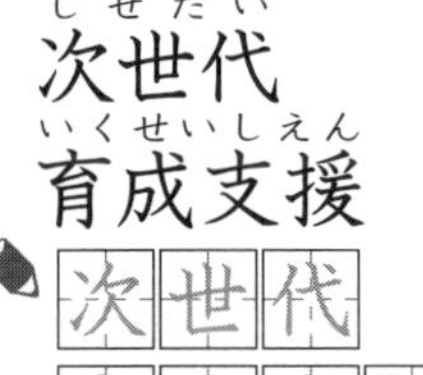

用語解説 ➡ 政府の行う子育て支援施策の展開過程において、2003 年ころを境に出生数の増加を目指した「少子化対策」から、次世代を担う子どもたちを育成しようとする考え方に転換しました。このような子育て支援の新しい概念として、「次世代育成支援」という用語が用いられるようになりました。

子育て支援（こそだ しえん）

用語解説 ➡ 保護者や家庭に対する子育て支援を指して用いられる用語です。保育所および幼保連携型認定こども園では義務、幼稚園では努力義務とされています。各園の子育て支援は、①在園児の子どもの保護者に対する子育て支援、②在園児以外の地域の子育て家庭に対する子育て支援の２つがあります。

保育指導（ほいくしどう）

用語解説 ➡ 保育士が保育の専門性を活かして行う「児童の保護者に対する保育に関する指導」の通称であり、児童福祉法に規定されています。「指導」という言葉が用いられていますが、保育指導は一方的に保護者を上から指導するものではありません。共に子どもの育ちを支えるパートナーとして、保護者の気持ちを受け止めながら相談、助言、行動見本の提示などを行います。その際、安定した親子関係や保護者の養育力の向上を目指すことが求められます。

園庭開放（えんていかいほう）

用語解説➡ 幼稚園や保育所、認定こども園を利用していない地域の親子に対して、園を開放し利用してもらうためのさまざまな活動を指します。利用できる日時は限られていますが、家庭で子育てを行っている保護者にとっては、他の保護者との出会いの場、交流の場、さらには保育士や幼稚園教諭、保育教諭への相談の場となっています。

この用語も確認しよう

地域開放（ちいきかいほう）

園庭に限らず、幼稚園や保育所、認定こども園の機能を開放することを地域開放と呼んでいます。たとえば、通常の保育に地域の子育て家庭が参加して園児と共に遊んだり、夏祭りや運動会、誕生会などの行事に参加したりします。また、子育て家庭に限らず地域住民との交流を行うなど、園によって活動内容はさまざまです。

延長保育（えんちょうほいく）

用語解説➡ 保育所や認定こども園において、保育時間を超えて保育することを延長保育と言います。一般的には、保育時間終了後に延長して行われるものを延長保育と言い、保育時間前に行われるものを「早朝保育」、夜間まで行われるものを「夜間保育」と呼びます。

一時預かり（いちじあずかり）

用語解説➡ 一時預かり事業とは、一時的に保育を必要とする乳幼児を、保育所、幼稚園、認定こども園、地域子育て支援拠点等で一時的に預かり、保育を行う事業です。①一般型（在園児以外の地域の子どもを預かる保育）、②余裕活用型（入所定員に達していない場合に、保育所等において定員の範囲内で在園児以外の子どもを預かる保育）、③幼稚園型（幼稚園・認定こども園で１号認定の在園児を教育時間終了後に預かる保育）、④訪問型（子どもの自宅で行う一時保育）の４つのタイプがあります。

この用語も確認しよう

預かり保育（あずかりほいく）

一時預かり事業の「幼稚園型」は、これまで「預かり保育」と呼ばれてきたものであり、多くの園で実施されています。この取り組みは、幼稚園教育要領において「教育課程に係る教育時間の終了後等に行う教育活動」として位置づけられています。

check

地域子ども・子育て支援事業

これまで行われてきたさまざまな子育て支援事業は、子ども・子育て支援新制度において、「地域子ども・子育て支援事業」として再編されました。このうち、乳幼児を対象とした事業として、利用者支援事業、地域子育て支援拠点事業、乳児家庭全戸訪問事業、養育支援訪問事業、子育て短期支援事業（ショートステイ・トワイライトステイ）、ファミリー・サポート・センター事業、一時預かり事業、延長保育事業、病児保育事業などがあります。

病児保育（びょうじほいく）
病後児保育（びょうごじほいく）

病児保育
病後児保育

用語解説➡ 集団保育を受けることのできない病気の子どもを、看護師等が病院や保育所等で一時的に保育する事業を指しており、病気の子どもを対象とした「病児型」、病気の回復期にある子どもを対象とした「病後児型」、病児・病後児の自宅を訪問して保育を行う「非施設型（訪問型）」等があります。

認定（にんてい）こども園（えん）

認定
こども園

用語解説➡ 保護者の就労の有無にかかわらず、幼児教育・保育を一体的に行う機能、地域における子育て支援を行う機能の両方を満たし、都道府県の認定を受けた施設です。具体的には、①幼保連携型、②幼稚園型、③保育所型、④地方裁量型の4種類の形態があります。また、2014（平成26）年に幼保連携型認定こども園の保育内容を定めた告示として「幼保連携型認定こども園教育・保育要領」が示されました。幼保連携型認定こども園で働く保育者は「保育教諭」という職名で呼ばれ、保育士資格と幼稚園教諭免許を併有する必要があります。

認証保育所（にんしょうほいくしょ）

認証保育所

用語解説➡ 東京都独自の制度であり、認可外保育施設のうち、東京都が独自に設けた基準を満たした保育所を指します。大きな特徴として、開所時間が13時間以上であることや、0歳児の保育を必ず行うこと、保育所と保護者の直接契約であることなどがあげられます。

check

保育所の民間委託

認可を受けた保育所の運営形態には、市町村が直営する「公設公営」、市町村が民間に設置・運営を委託した「民設民営」、市町村が設置し民間が運営する「公設民営」などがあります。

このうち、公設公営保育所を民間に運営委託することを「民間委託」と呼びます。近年では、公設公営保育所や児童館の民間委託が各地で進んでおり、地方公共団体が法人その他の団体を指定して、公の施設の運営を委託する「指定管理者制度」が広く用いられています。

認可外（にんかがい）保育施設（ほいくしせつ）

認可外保育施設

用語解説➡ 国の基準を満たし、都道府県の認可を受けた保育所を「認可保育所」、認可を受けていない保育所を「認可外保育施設」と呼びます。具体的には、ベビーホテルや託児所、事業所内保育施設等などがあります。

column 外国にルーツを持つ子どもの保育

国際化と共に、幼稚園や保育所、認定こども園においても外国にルーツを持つ子どもたちが増えています。このような子どもたちは、生活環境や文化の違い、コミュニケーションのむずかしさ等から日常生活においてさまざまな不安や困難を抱えることが少なくありません。また、言葉が通じないために攻撃的になったり、孤立したりすることもあります。保育者には、子どもたちの慣れ親しんだ文化を理解すること、不安や戸惑いを受け止め他児との関係をつなぐことなどが求められます。

巡回相談（じゅんかいそうだん）

巡回相談

用語解説 保育所等に専門職員が訪問して、障がいのある子どもの保育に関する指導を行う取り組みを「巡回相談」と呼んでいます。児童福祉法に基づく巡回相談は「保育所等訪問支援」と呼ばれ、集団生活への適応に専門的支援が必要な子どもへの発達支援と共に、保育所等の職員に対する専門的指導を行います。訪問支援員は、障がい児支援に相当の知識と経験を持つ児童指導員、保育士、理学療法士、作業療法士、心理担当職員等とされています。

check

臨床心理士

日本臨床心理士資格認定協会による試験に合格し、認定を受けた心理専門職です。全国の小中学校に配置されるスクールカウンセラーとして、また、園では巡回相談員として子どもの心理的援助を行っています。

アドボカシー

用語解説 子どもや障がい者など、自分自身の権利やニーズを表明することがむずかしい立場にある人たちに代わって、これらを代弁し権利を擁護するための活動を指します。

幼小連携（ようしょうれんけい）

幼小連携

用語解説 幼稚園と小学校との連携のことであり、保育所や認定こども園も含めた連携を幼保小連携と言います。園生活から小学校への移行には、子どもにとって大きな段差があり負担がかかるとの問題意識から、幼稚園や保育所、認定こども園と小学校との交流活動や人事交流等の取り組みが行われています。

学童保育（がくどうほいく）

学童保育

用語解説 就労等により、昼間、保護者が家庭にいない小学生を対象として、放課後に遊びや生活の場を提供する事業を学童保育と言います。国の制度では「放課後児童クラブ」という事業名がありますが、自治体によって「子どもクラブ」「学童クラブ」など、さまざまな名称が付けられています。設置運営主体は自治体、社会福祉法人、NPO法人、一般企業などさまざまであり、主に小学校の空き教室や敷地内の専用施設、児童館などを活用して行われています。

この用語も確認しよう

放課後（ほうかご）児童（じどう）クラブ

放課後児童クラブ

学童保育のうち、国の定める放課後児童健全育成事業に位置付けられた活動を放課後児童クラブと呼びます。放課後児童クラブの職員は、放課後児童指導員と呼ばれ、保育士資格、社会福祉士資格、教員免許状を保有しているか、児童福祉施設職員の養成施設の卒業あるいは2年以上の児童福祉事業の実務経験等が求められます。

column 児童福祉法と児童の定義

児童の健全育成および福祉に関するもっとも基本となる法律であり、1947年に制定・公布されました。保育所や児童福祉施設はすべてこの法律に基づいて運営されており、児童のうち、満1歳に満たない者は乳児、満1歳から小学校就学の始期までの者は幼児、小学校就学の始期から満18歳に達するまでの者は少年と定義されています。

じどうぎゃくたい
児童虐待

児童虐待

用語解説➡「児童虐待防止等に関する法律」では、①児童の体に外傷が生じる、あるいは生じるおそれのある暴行を加える「身体的虐待」、②児童にわいせつな行為をするまたはさせる「性的虐待」、③心身の成長を妨げるような著しい減食または長時間の放置等の「ネグレクト」、④著しい暴言、拒絶、配偶者への暴力等の心理的外傷を与える「心理的虐待」の4つを児童虐待と定義しています。

ようほごじどう
要保護児童

要保護児童

用語解説➡ 保護者がいない、あるいは虐待等で保護者から適切な養育を受けることができない児童、非行児童、障がい児童等、何らかの援助や保護を必要とする児童のことを指しています。

そち
措置

措置

用語解説➡ 子どもの権利を守るため行政の権限により社会福祉サービスを提供することを指します。たとえば、虐待を受けた子どもの児童養護施設や乳児院等への入所はこの措置制度がとられています。以前は保育所入所も措置とされてきましたが、児童福祉法の改正を受け、利用者の選択利用となりました。

いちじほご
一時保護

一時保護

用語解説➡ 児童相談所長または都道府県知事が、児童虐待、保護者の家出などにより緊急に児童を保護する必要があると認めた場合に一時保護所で保護することを言います。原則的に一時保護できる期間は2か月までとされています。

おやかてい
ひとり親家庭

ひとり親家庭

用語解説➡ 父親、母親のどちらか一人が未成年の子どもを養育している場合の家庭を指し、母親のみの場合を母子家庭、父親のみの場合を父子家庭と呼びます。

しんけん
親権

親権

用語解説➡ 父母または父母のどちらかが未成年の子どもに対して有する身分上および財産上の監督保護に関する権利および義務のことを指します。特に問題となるのは父母が離婚する場合であり、どちらかが子どもの親権を持つことになります。

DV
(Domestic Violence)

用語解説➡ 夫婦、恋人などの恋愛関係または親密な関係のある男女間で生じる暴力的行為を指す概念であり、身体的暴力だけでなく、心理的暴力、性的な暴力等があります。

column 児童相談所

児童相談所は児童の福祉に関する問題について相談に応じ、調査、診断、判定を行い、必要な援助を行う児童福祉行政機関です。現在は児童虐待への対応がその業務の多くを占めていますが、一時保護や児童福祉施設への入所措置、里親委託等を実施します。また、児童福祉司、児童心理司、医師、児童指導員、保育士等のさまざまな専門職が配置されています。

10. 保育者としての職務・安全管理

保育者は、子育ての専門家として、その専門性を高める努力を行うことが大切です。日々の実践を振り返り、自らの保育観の構築を目指す中で具体的な実践を通して保育技術の学びへと、日々つなげる努力をしていきましょう。また、保育者は、子どもたちの生命の安全を確保するために、園生活の安全を管理していくことも大切な業務の一つとなるでしょう。そして、個の人権を守る守秘義務などについてもしっかりと理解をしておかなければなりません。ここでは保育者としての職務と園での安全管理に関する用語について確認していきましょう。

研修（けんしゅう）

研修

用語解説 保育者の資質向上や専門性を高めるために行われるものです。研修には園内で職員同士が行うものや講師等を招いて行うもの、先輩保育者が新人保育者を指導していくものなどがあります。園外研修では個人が学びたい内容を吟味し参加する研修があります（下記参照）。

この用語も確認しよう

園内研修（えんないけんしゅう） 園の中で行われる研修のことです。内容としては、カンファレンス、職員同士での実践事例の話し合い、発表者などを立てた勉強会、外部講師を招いての研修などがあります。職員間で保育の悩みを相談したり、話し合うことも園内研修の一つといえるでしょう。日ごろ感じる保育上の悩みや職員間の人間関係も大切な園内の問題、課題として積極的に話し合えるとよいでしょう。

園外研修（えんがいけんしゅう） 園外で行われる研修のことです。地方自治体、民間団体の研修、夏季セミナー、保育雑誌などに紹介される研修、都道府県や市町村、大学などが行う講座や研究会などがあります。また、新人や中堅、園長（施設長）など「職務内容」の研修や「障がい児保育への理解」など、保育の内容に合わせた研修のほか、保育者の専門性の向上と処遇改善を目的として行われているキャリアアップ研修なども実施されています。

園内研修 園外研修

自己点検（じこてんけん）

自己点検

用語解説 園全体の保育内容の充実や向上、活性化につとめ、社会的責任を果たしていくため、園の方針や目標に照らして、自らの日々の保育を点検し振り返るものです。園全体のレベルアップには保育者個人の資質向上は欠かせません。一人一人の保育者が日々の保育の省察を習慣化していくことが大切です。

しゅひぎむ
守秘義務

用語解説➡ 業務上知り得た情報を口外してはならないことを守秘義務と言います。保護者への相談業務は社会からも求められているもので国家資格としての保育士が助言や指導を行うときに守るべき義務です。これは、児童福祉法に秘密保持義務として明記されています。保育士のみではなく、幼稚園教諭、保育教諭も同様で、退職後も職務上知り得た情報は口外してはいけません。

こじんじょうほう　ほご
個人情報保護

用語解説➡ 個人情報の適切な取り扱いについて定めた「個人情報の保護に関する法律」（通称：個人情報保護法）が、2005年（平成17年）より施行されました。個人情報とは、特定の個人を判別できる情報（氏名、生年月日等）などを言います。園では多くの個人情報を管理しています。ホームページなどでの日々の保育の紹介や緊急名簿の作成など、個人情報を有用に利用する必要もあります。その際は、入園時など事前に保護者の同意（下記参照）を取った上で、円滑に情報を利用していく必要があります。

こじんじょうほう　どういしょ
個人情報同意書

用語解説➡ 個人情報の取り扱いに当たり、その範囲を前もって本人と取り決めておく同意書のことを言います。子どもの場合は保護者の同意が必要となります。たとえば、顔と名札が一緒に映っておらず個人の特定ができなければ写真をホームページに載せてもよい、クラス名簿の作成・配付においては個人情報を使用してもよいなど、入園時などに同意を得ておくことが一般的です。事前に利用の目的などを保護者にわかりやすく伝えることが大切です。

じこけんさん
自己研鑽

用語解説➡ 子どもにとってのよりよい保育や教育を行うことができる実践者を目指し、自らの心の中に具体的な保育者像を描きイメージし、毎日の学びを深めていくことが保育者としての自己研鑽です。自らを謙虚に見つめながら自己の心を振り返りつつ、どのように生きていくかを決める人生観の学びでもあるでしょう。

じこひょうか
自己評価

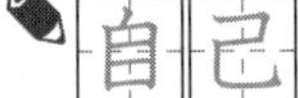

用語解説➡ 自分自身を評価することです。園および保育者自身の立てた保育の計画や内容、そして実践を自ら振り返り省察することを指します。子どもに育てたい内容や子ども自らが育ちたい姿を踏まえ、目の前の実際の子どもの姿を理解・考慮し、保育者は計画を立て実践していきます。自らが行った計画、実践について振り返ることで、保育者自身と園全体の改善と充実を通して質の向上を目指しています。また、保育者としての仕事全体（事務、子育て支援、保育者同士の連携など）についても評価します。また、協働性への自己評価も求められています。

check

キャリアパスとは

保育所保育指針には、「保育の課題や各職員のキャリアパス等も見据えて、初任者から管理職員までの職位や職務内容等を踏まえた体系的な研修計画を作成しなければならない」と示されています。園という組織の中で個々の保育者が経験年数や職位（中堅・主任等）により、段階的に身に付けるべき専門性や技術・資質能力を位置付け、その役割を示すことを指します。今、自分に求められていることを自覚し、研修内容と合わせて身に付けていくことにより、保育者の多様なキャリアの形成につなげます。このことは保育士の処遇改善や出産・子育てといった保育経験者の離職からの職場復帰支援策としても期待されています。

だいさんしゃひょうか
第三者評価

第三者評価

用語解説 一般的には当事者以外の第三者に評価をしてもらうことで、客観的に自らを見つめ直すために行うものです。保育所においては、保育所を含む社会福祉事業（者）が提供している保育や福祉サービスを、当事者以外の公正で中立な立場の第三者機関によって評価を行う制度のことを意味します。客観的な第三者が評価を行うことで園側ではサービスの向上にもなり保護者には園の評価の保証にもなるものです。

すいこう
遂行

遂行

用語解説 業務をやり遂げること、成し遂げることを言います。待機児童解消や子育て支援が求められ、公立園や社会福祉法人だけではなく、株式会社などの参入もあり、保育者にとって求められる業務は多岐にわたります。直接的な保育業務のほかに、運営業務に携わる機会も広がってきています。円滑な園の運営のための社会的な責任はさらに重くなっていますが、その業務の遂行は常に求められています。

ふくむきてい
服務規程

服務規程

用語解説 職場で勤務をする職員が守るように定められた規定を意味します。公立では公務員としての服務、私立および各法人はその施設および学校の職員としての服務があることになります。私立はその設置そのものに個性があり独自性が強いので、服務もまた同様に運営する設置主体の事情により特徴があります。職員の守るべきものである服務規程はどのような運営主体であっても法や倫理に基づくものでなければならないものでもあります。

ちょうかい
懲戒

懲戒

用語解説 勤務先で定められた規則において不正・不当な行為を再び繰り返さないよう罰則を与えることを言います。保育者も一人の労働者として罰せられることもあることを理解しておきましょう。公務員であれば免職、停職、減給、戒告などの懲戒があります。

じしゅてんけん
自主点検

自主点検

用語解説 けがの要因になるものがないか、危険箇所はないかなど、園または保育者が自ら点検を行うことを言います。実際はそれぞれの園で点検表を作成し、保育者が定期的に、園内外を直接確認するなどしています。具体的には毎日、開園前と閉園後に園舎内外を目視、触る、音、匂いなどで確認し、異常を発見した場合はすみやかに報告、対応改善していきます。

避難訓練（ひなんくんれん）

用語解説➡ 地震や火事などの災害、不審者対策などに備えて避難をする訓練のことを言います。幼稚園では、「消防法施行規則」において年に２回以上、保育所では、「児童福祉施設の設備及び運営に関する基準」において、毎月１回以上、避難訓練を行うことが示されており定期的に行われています。園でもっとも重要なものは子どもたちの安全です。さまざまな場面や時間を想定し、実際の誘導の仕方などの計画を立て実施します。避難訓練を行う際は、管轄消防署へ事前に計画書で報告し、日ごろからの連携を取るとよいでしょう。

緊急避難（きんきゅうひなん）

用語解説➡ 天災などによる災害時に、園を出て、より安全な場所へ緊急的に避難することを言います。自治体などで「緊急避難場所」が指定されています。園や学校自体が避難場所に指定されることもあります。

check

ハザードマップ

ハザードマップとは、自然災害などが発生した際に危険と思われる場所や避難経路、避難場所などを地図にまとめたものです。園周辺のハザードマップの確認はもちろんのこと、近年では子どもや保護者とも協力して、その園独自のハザードマップを作成しているところもあります。

column 緊急避難場所での対応

2011 年３月 11 日、東日本大震災のその日、幼稚園や保育所、認定こども園、児童福祉施設など、さまざまな場所で緊急避難が行われ、沿岸部では津波を避けるために高台の施設への避難が行われました。多くの園も在園児のみならず、地域の緊急避難場所になりました。しかし、多くの帰宅難民が生じ、子どもを迎えに行くことができない保護者も多くいたそうです（参考：『現代と保育』80 号「東日本大震災と保育」ひとなる書房）。関東でも園長や保育者は園内の育てていた野菜で味噌汁をつくるなどして、昼夜を園内で子どもたちと過ごし保護者の迎えを待ったそうです。日ごろの避難訓練と管理された備蓄の食品が、乳幼児のいる園での緊急避難を冷静な行動に導いたとのことでした。避難場所では非日常の生活が子どもたちの不安も生みますので、保育者はできるだけ日常的な生活や行動を心掛けることで、不安を解消することができます。

引き渡し訓練（ひきわたしくんれん）

用語解説➡ 避難訓練の一つで、事故や災害時に園から安全かつ確実に子どもを保護者の元へ引き渡すことを想定した、保護者も一緒に参加し行う訓練のことを言います。避難時に子どもを引き渡す相手（保護者または事前に登録済みの代理者）は、入園時など事前に誰であるのかをしっかりと確認しておきます。訓練時も何時に誰に子どもを引き渡したかの記録を残しておきます。

check

引き渡し訓練の例

引き渡し訓練の一例です。

○災害伝言ダイヤル（および安否確認メール）を使用して保護者へ連絡、内容を確認してもらい迎えをお願いする。

○引き渡しカードに迎えにくる予定者名を３名ほど入園時に記入してもらっておき、各担任は常に携帯し保育に当たっている。

○引き渡し時に改めて確認や変更があればお願いする。

ヒヤリ・ハット

用語解説➡ アメリカのハインリッヒが1件の重大な災害や事故が発生する背景には、29件の軽微な事故と300件の未然事故ですんだ「ヒヤリ、ハッとした」事例があることを記録分析し発表しました。このことから事故予防対策に活用する意味で「ヒヤリ・ハット」と言う言葉が使われるようになりました。事故などを未然に防ぐためには、日ごろからの危機意識、安全管理が大切です。そして、異変に気づいた際には、早めの報告・連絡・相談を職員間で行うようにしましょう。もし、やむを得ず、けがや事故などが起こった場合は、すみやかに対応し、そのときの経緯などの詳細を記録に残すことも大切です。次にそのような事故などが起こらないよう未然に防ぐための対策に役立てましょう。

リスクマネジメント

用語解説➡ 危険や不測の事態を予測し、事故やけがが、園や施設の安全が脅かされる前に事前に回避するための危機管理のことを言います。マニュアルを策定したり、日ごろから安全予防のチェック表を作成するなどし、開園時や閉園時に確認しています。園としてのリスクマネジメントの意識もとても大切ですが、子どもたちにも「どうしたらよいと思う？」「もし、○○のようなことがあったらどうする？」など、子ども自らが考えてみる機会をつくることも安全教育として必要なことと言えるでしょう。

check

「AED」って何？

Automated External Defibrillator の略語で、「自動体外式除細動器」と言います。ＡＥＤは、「突然心臓が止まって倒れてしまった人」の心臓のリズムを、心臓に電気ショックを与えることにより再び正しいリズムに戻し、蘇生するための治療機器です。

check

サスマタ（刺股）って何？

もともと江戸時代に捕り物用としてつくられたもので、先がＵの字になっていて武器を持った不審者に近付くことなく一定の距離をとって取り押さえられるものです。最近では一度抑え付けると簡単には、取り外せないものなどもつくられています。

column **卒業研究・卒業論文で学ぶ保育学・保育内容の探求**

卒業研究とは、大学（短期大学）や専門学校に所属する主に最終学年の学生が、学びの成果として何かしらのテーマを決めて行う研究のことです。研究方法としては、保育者養成校の学生の場合、少人数でテーマに関する議論などを行うゼミナールを設けたり、自分が興味・関心のある保育の文献研究や調査研究などを行い、その成果を論文にまとめたりすることが多いでしょう。

卒業研究は、自分が関心のある研究を行うことができるだけではなく、卒業後の保育者生活にも影響を与えてくれる大切な機会です。卒業研究で取り上げたテーマは保育現場に出てからの課題としても取り組み続けることができるのです。保育者が自分の保育を振り返り、よりよい方向性を考える省察的な思考を持ち続けることはとても重要です。しかし、昨今の多様化していく価値観の中で、まわりの影響を受けやすい乳幼児のために、よりよい保育を探求し続けることは簡単ではありません。どのような環境でも“子どもの最善の利益を守るよりよい保育を行うためにはどうあるべきか”という課題を保育実践を通して見つめていく姿勢が大切です。まず、卒業研究を通して、学生時代に保育学・保育内容についてじっくりと取り組み探求してみましょう。そして、卒業後も保育者としての専門性を高める努力を続けていきましょう。

基本用語
漢字練習シート

実習や保育の現場でよく使用する用語の正しい漢字の書き取り練習をしましょう。★ の使用頻度も意識してみましょう。

※ STEP1 ～ 8 の ★ は、学生の使用頻度に合わせ記載しています。

★ 使用頻度は高くないが、書けるようにしておきたい漢字

★★ 使用頻度がやや高く、書けるようにしておいておきたい漢字

★★★ 日誌での使用頻度が高く、かならず書けるようにしておくべき漢字

STEP 1

初級編 ①

次の下線部のカタカナを漢字に直し書いてみよう。

／20

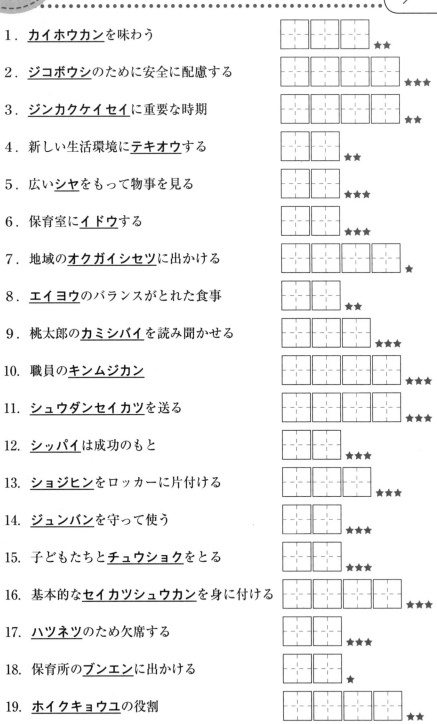

1．カイホウカンを味わう ★★

2．ジコボウシのために安全に配慮する ★★★

3．ジンカクケイセイに重要な時期 ★★

4．新しい生活環境にテキオウする ★★

5．広いシヤをもって物事を見る ★★★

6．保育室にイドウする ★★★

7．地域のオクガイシセツに出かける ★

8．エイヨウのバランスがとれた食事 ★★

9．桃太郎のカミシバイを読み聞かせる ★★★

10．職員のキンムジカン ★★★

11．シュウダンセイカツを送る ★★★

12．シッパイは成功のもと ★★★

13．ショジヒンをロッカーに片付ける ★★★

14．ジュンバンを守って使う ★★★

15．子どもたちとチュウショクをとる ★★★

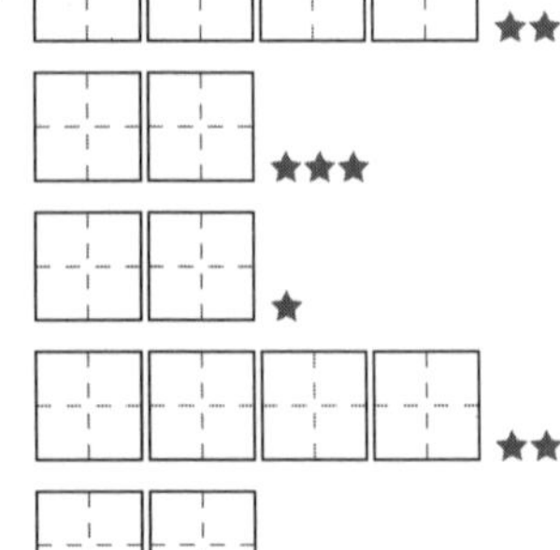

16．基本的なセイカツシュウカンを身に付ける ★★★

17．ハツネツのため欠席する ★★★

18．保育所のブンエンに出かける ★

19．ホイククキョウユの役割 ★★

20．セツブンに豆まきをする ★

STEP 2

初級編 ②

次の下線部のカタカナを漢字に直し書いてみよう。

1．**キンロウカンシャ**の日 ★

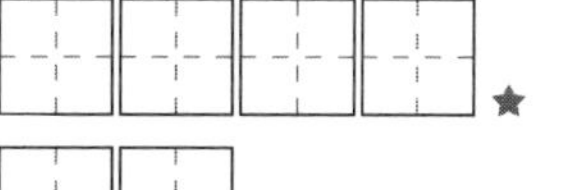

2．保育者の**ショクム**内容を確認する ★★★

3．子どもの**サイゼン**の**リエキ**を保障する ★★★

4．３歳児の発達の**トクチョウ**を学ぶ ★★★

5．小学校**シュウガク**に向けた取り組み ★★

6．**リンリカン**のある子どもを育てる ★★

7．**イフク**の**チャクダツ**を援助する ★★★

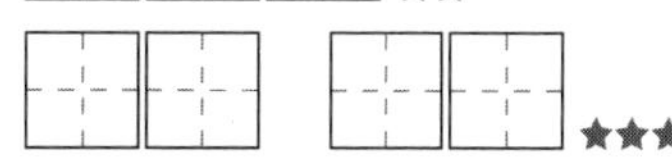

8．子どもに与える**エイキョウ**を考える ★★★

9．プールに入る前の**タイソウ**をする ★★★

10. **コウツウアンゼン**教室に参加する ★★

11. **ジョウチョ**が不安定な子ども ★★★

12. 子どもたちの**トウバンカツドウ**を援助する ★★★

13. **ホイクサンカン**に参加する ★

14. **レンラクチョウ**に必要事項を記入する ★★★

15. 弁当を**ホオンヨウキ**に入れる ★★

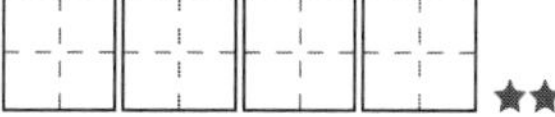

16. **カンセツ**の曲げ伸ばしをする ★

17. **ジユウガ**を描く ★★

18. **シュウキョウキョウイク**の一環として聖書を読む ★★

19. **ヒッキヨウグ**を持参する ★★

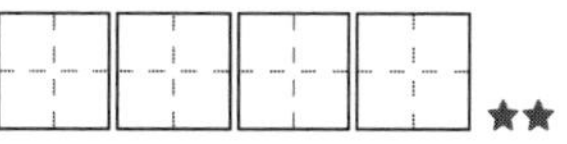

20. 子どもたちと**キュウショク**を食べる ★★★

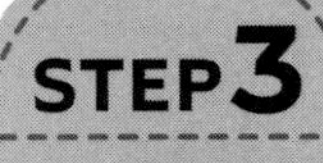

STEP 3 初級編 ③

次の下線部のカタカナを漢字に直し書いてみよう。

／20

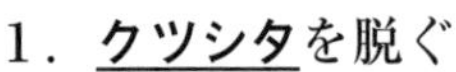

1. **クツシタ**を脱ぐ  ★★★
2. **ショウトツ**を防ぐ工夫をする 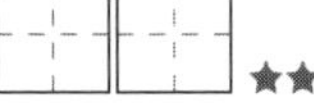 ★★
3. **ニンギョウゲキ**を見る  ★★★
4. **ジキュウリョク**を測定する 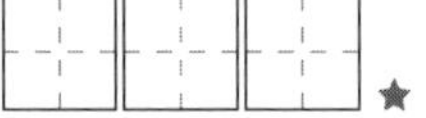 ★
5. 運動会の**オド**りをオドる  ★★★
6. 歌の**カシ**を読み上げる ★★★
7. **ジシン**で建物が揺れる ★
8. **コウレイシャ**との交流活動 ★★
9. **テツボウ**で**サカア**がりをする ★★★
10. **ズツウ**がする ★★★
11. **スイサイエノグ**を画用紙に**ヌ**る ★★★
12. **ネガエ**りを打つ ★★★
13. **ヘイキンダイ**をゆっくりと渡る ★★
14. **リニュウショク**の**チョウリ**をする ★★★
15. **チョウリキグ**を片付ける ★
16. 子どもたちの**ジコヒョウゲン**を尊重する ★★★
17. 子どもたちに**ヒラガナ**を教える ★★
18. 子どもとの**キョリカン** ★★★
19. **ショウチョウテキ**な場面 ★★
20. 疲労が**チクセキ**する ★★

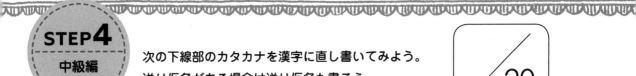

STEP4
中級編
①

次の下線部のカタカナを漢字に直し書いてみよう。
送り仮名がある場合は送り仮名も書こう。

/20

1. ウデまくりをする ★★★
2. 外遊びの後で、スイブンホキュウをする ★★★
3. タイオンチョウセイを行う ★★
4. ジュニュウの時間にミルクを与える ★★★
5. ヘキメンのソウショクをする ★★★
6. タイコウイシキをもってキョウソウする ★★★
7. 机のハシをもつ ★★
8. 子どものテンガンヤクを預かる ★
9. 野菜をサイバイする ★★★
10. ユウギシツに集まる ★★★
11. ヨウムインと一緒に園庭を整備する ★
12. 想定外のことにもリンキオウヘンに対応 ★★★
13. 玄関のハキソウジをする ★★★
14. 道路のヒョウシキを見上げる ★★
15. 子どたちのビョウガカツドウを指導する ★★★
16. ニョウイを感じてトイレに駆け込む ★★
17. 保育士とカンゴシとの連携 ★★★
18. フシギそうに見ている ★★★
19. キソテキなチシキを身につける ★★★
20. オニごっこをして遊ぶ ★★★

STEP 5
中級編
②

次の下線部のカタカナを漢字に直し書いてみよう。
送り仮名がある場合は送り仮名も書こう。

／20

1. **ヨクヨウ**をつけて絵本を読み聞かせる ★★★
2. 水をまいた庭に**シモバシラ**ができる ★
3. 子どもたちが**ムジャキ**に遊ぶ ★
4. 定期的に**ケンコウシンダン**を受ける ★★★
5. 虫の名前を**ズカン**で調べる ★★★
6. **チュウリンジョウ**に自転車を止める ★★
7. 大人の行為を**モホウ**する ★★★
8. 言葉と**ミブリ**で伝える ★★★
9. 食後に**ユザマシ**を与える ★★
10. **ドウリョウ**に相談する ★★
11. **ボシケンコウテチョウ**の記録を確認する ★
12. **レイゾウコ**に飲み物を入れる ★★
13. **ロウカ**に一列に並ぶ ★★★
14. **カンセンショウ**の予防に努める ★★★
15. **タンジョウビ**のお祝いをする ★★★
16. **ボウサイズキン**を被り**ヒナンクンレン**を行う ★★★
17. **ショクモツセンイ**を多く**セッシュ**する ★★
18. **シュンパツリョク**が必要な競技 ★★
19. 退勤前に**トジマリ**の確認をする ★★★
20. **シッペイ**の予防と対策 ★★★

STEP 6 中級編 ③

次の下線部のカタカナを漢字に直し書いてみよう。
送り仮名がある場合は送り仮名も書こう。

/20

1. **ソウイクフウ**を**コラシタ**保育 ★★
2. プールの**エンソノウド**を計測する ★★
3. 血液の**ジュンカン**を促す ★
4. 子どもたちの**カミ**を結ぶ ★★★
5. **カコキュウ**の**ホッサ**が起きる ★★
6. お祭りで**タイコ**を**タタク** ★★
7. その日の出来事を**コチョウ**して伝える ★
8. **ギャクタイ**の**ウタガイ**のある子 ★★★
9. 心身の発達が**ケンチョ**な乳幼児期 ★★
10. 運動会で**コッカセイショウ**をする ★
11. 会計の**カンサ**を行う ★
12. 食事の**ハイゼン**をする ★★★
13. **ヒジ**をついて食事をする ★★★
14. **ダッスイショウジョウ**に**オチイル** ★★
15. 何事も**ケンキョ**な姿勢で取り組む ★★
16. 他人事として出来事を**ボウカン**する ★★
17. 入園式で**シャシンサツエイ**をする ★★
18. **エイセイテキ**な環境を保つ ★★★
19. **カンカツ**の役所に届出をする ★
20. **ミャクラク**のない話をする ★

STEP 7 上級編 ①

次の下線部のカタカナを漢字に直し書いてみよう。
送り仮名がある場合は送り仮名も書こう。

／20

1. ケガのため出場をアキラメル ★★★
2. トラブルにジンソクに対応する ★★
3. ユワカシキでお湯をわかす ★
4. ヒンパンにトイレに行く ★★★
5. 顔のリンカクを描く ★★★
6. うさぎが子どもたちにナツク ★★
7. カイチュウデントウの点検をする ★
8. 風船をフクラマセル ★★
9. カゼでノドを痛める ★★
10. チャワンを洗う ★★★
11. クチビルをカミしめる ★★★
12. シカケンシンのハミガキの指導 ★★★
13. ハシで食べる練習を始める ★★★
14. キュウケイシツで実習記録のメモを取る ★★★
15. イスに腰掛ける ★★★
16. 泣いている子どもをナグサメル ★★★
17. ソトバキを下駄箱に片付ける ★★★
18. メイボを見て出欠のテンコをとる ★★
19. スイドウのジャグチをひねる ★★★
20. ミリョク的な保育者 ★★★

STEP 8 上級編 ②

次の下線部のカタカナを漢字に直し書いてみよう。
送り仮名がある場合は送り仮名も書こう。

／20

1. カダンの花に水をやる ★★★
2. ホニュウビンのシャフツショウドク ★★★
3. モクヨクソウで赤ちゃんのお尻を洗う ★★
4. セッケンで手を洗う ★★★
5. 大好きな保育者を取られてシットする ★★★
6. 食後にケイコウヤクを与える ★★
7. バンソウコウを貼って手当てする ★★
8. ゴウマンな態度 ★★
9. ケンカのチュウサイに入る ★★★
10. コウキシンがオウセイな子ども ★★★
11. シコウサクゴしながら作品をつくる ★★★
12. ハラバイの姿勢になって遊ぶ ★★
13. 朝のアイサツをする ★★★
14. ショウドクエキでオウトブツの処理をする ★★★
15. キレイな花をカンショウする ★★★
16. アコガレのヒーローになりきって遊ぶ ★★★
17. オオミソカの夜 ★
18. 手足にマヒが残る ★
19. シリメツレツな話 ★
20. ヒナマツリのお祝いをする ★

STEP 9 お礼状

次のお礼状のカタカナを漢字に直してみよう。
送り仮名がある場合は送り仮名も書いてみよう。

実習終了後、実習でお世話になった園や施設に、遅くとも10日以内にかならずお礼状を郵送します。お礼状を書く際には慣例的に使用する用語があります。それらの用語を正しく理解し、正しい漢字でお礼状を書けるようにしましょう。

1.**ハイケイ**　寒さが日ごとに増してまいりました。

このたびは保育実習で大変お世話になり　2.**アリガトウ**　ございました。

私にとって久しぶりの実習でしたので、最初は大変　3.**キンチョウ**　しましたが、子どもたちから明るい　2.アリガトウの言葉を、先生方から　4.**ハゲマシ**　の　5.**コエカケ**　をいただいたことにより、徐々に　3.キンチョウ　がほぐれ、自分らしく行動することができました。これも先生方のご　6.**ハイリョ**　の　7.**オカゲ**　と　8.**オンレイ**　申し上げます。

実習中、ひよこ組で絵本を読む部分実習の　9.**キカイ**　をいただきましたが、大変良い勉強になりました。事前にクラス担任の先生に絵本の　10.**センショ**　と　11.**シドウ**　案をご　11.シドウ　いただき、12.**ジゴ**　の反省会でも子どもの集中を切らさないための方法を教えていただきました。

これらの　13.**キチョウ**　な学びを次回の実習にいかしたいと思います。

今後もご　11.シドウ　のほど、14.**ヨロシク**　お願い申し上げます。

15.**ケイグ**

令和○年○月○日

○○短期大学　保育学科○年
○○　○○

○○○保育園園長
○○　○○先生

1. ＿＿＿＿　2. ＿＿＿＿　3. ＿＿＿＿　4. ＿＿＿＿

5. ＿＿＿＿　6. ＿＿＿＿　7. ＿＿＿＿　8. ＿＿＿＿

9. ＿＿＿＿　10. ＿＿＿＿　11. ＿＿＿＿　12. ＿＿＿＿

13. ＿＿＿＿　14. ＿＿＿＿　15. ＿＿＿＿

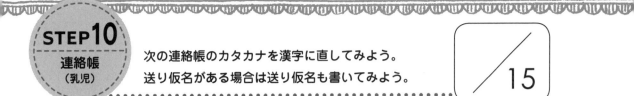

次の連絡帳のカタカナを漢字に直してみよう。
送り仮名がある場合は送り仮名も書いてみよう。

幼稚園や保育所、認定こども園では園と家庭での子どもの様子を、連絡帳を使用して把握し合っています。子どもの睡眠時間や食事の状況、体温などを記し、家庭での子どもの様子、園での子どもの様子を伝えながら子どもの生活について確認しています。

○ 月 ○ 日 （ ○ ）曜日　**1. テンコウ**

時間	睡眠 入浴	排泄	食事
19:00			
20:00	**2. フロ**		
21:00	●		**3. ボニュウ**
22:00			
23:00	23:30		
0:00	夜泣き		
1:00	0:40		
2:00			
3:00			
4:00			
5:00			
6:00	●	**4. カタイ**（少し）	朝食 6:30
7:00			パン・卵焼き・
8:00			サラダ・りんご
9:00			おやつ 9:45
10:00	**5. モクヨク**		牛乳・せんべい
11:00			昼食 11:20
12:00	12:15		ご飯・鶏の照
13:00			り焼き・みそ
14:00	13:55		汁・いちご
15:00			夕食 17:30
16:00			ご飯・ロール
17:00			キャベツ・か
18:00			ぼちゃの煮物

家庭から　記録者（ 母 ）

体温（ 36.6℃ 7:10 ）　**6. キゲン**（㊛良 普通 悪）

土曜日は **7. ビネツ**がありましたが、日曜日は **8. ヘイネツ**でした。いつも仕事から帰ると家では私にべったりで、料理中も大泣きで困っています。父親とする歩く練習は好きなようですが、自分からはまだ2歩しか歩いてくれません。もっと自分から歩いてくれるといいですが。
※ **9. ヨボウセッシュ**の記録を提出します。

セッシュの記録、受け取りました　担任

お迎え（ 母 ）　時間（ 17：30 ）

園から　記録者（ ○○○○ ）

体温（ 36.7℃ 10:10 ）
体温（ 36.6℃ 14:10 ）
6. キゲン（良 普通 悪）

園でも 8. ヘイネツでした。うんちが 4. カタイせいか、お **10. シリ**を洗うとき **11. イタガル**様子があり、おむつかぶれもあったので 5. モクヨク室でお 10. シリを洗いました。園生活には慣れてきた様子のAちゃんですが、その分ママに甘えているのかもしれませんね。（中略）園では、**12. ギュウニュウ**パックでつくった室内用の **13. カイダン**を **14. セイサク**中です。Aちゃんが歩きたくなるような **15. ユウグ**にしたいと思っています。

1. [ ]　2. [ ]　3. [ ]　4. [ ]
5. [ ]　6. [ ]　7. [ ]　8. [ ]
9. [ ]　10. [ ]　11. [ ]　12. [ ]
13. [ ]　14. [ ]　15. [ ]

STEP 11 園便り

次の園便りのカタカナを漢字に直してみよう。
送り仮名がある場合は送り仮名も書いてみよう。

えんだより

××××年○月○日　**1. ハッコウ**

子どもたちの夢

子どもたちの夢や想いを込めた**2. タナバタカザリ**をかざるともう夏本番です。

プール開きも園全体で楽しんだせいでしょうか。最近は、年長さんが中心になって行う活動に小さなクラスの子どもが一緒に楽しむ姿が見られます。今日は年長さんは**3. ドロ**の**4. カンショク**を楽しみながら大きな山にパイプを通しいくつものトンネルをつくっていました。そこへ保育者と**5. タンケン**ごっこをしていた２歳児が**6. キョウミシンシン**で近づき、トンネルづくりを**7. マネ**しようとするのですが、うまくできなくて大泣きしていると、**8. ヨゴレ**ることを気にせず、**9. ムネ**が地面につきそうになりながら手伝ってくれた年長さんでした。**10. ブキヨウ**な手つきで上手にできなくて**11. ナミダ**ぐんでいた小さい子のために、**12. ハラバイ**になりながら**13. シンケン**に助けてくれる姿が印象的でした。

今月はそんな**14. ヤサシイ**年長さんの**15. キカク**した**16. ヨミセ**も参加する**17. ユウスズミカイ**を行います。すずしくなる夕方からです。ご家族お**18. ソロイ**でご**19. ライエン**くださいますよう**20. ショクイン**一同お待ちいたしております。

園長　○○　○○

1.		2.		3.		4.	
5.		6.		7.		8.	
9.		10.		11.		12.	
13.		14.		15.		16.	
17.		18.		19.		20.	

幼稚園や保育所、認定こども園では定期的もしくは必要に応じて、家庭に向けて「園便り」を発行しています。子どもたちの様子や、来月の行事のお知らせや連絡事項、注意事項などを保護者に伝える大切な役割を果たしています。

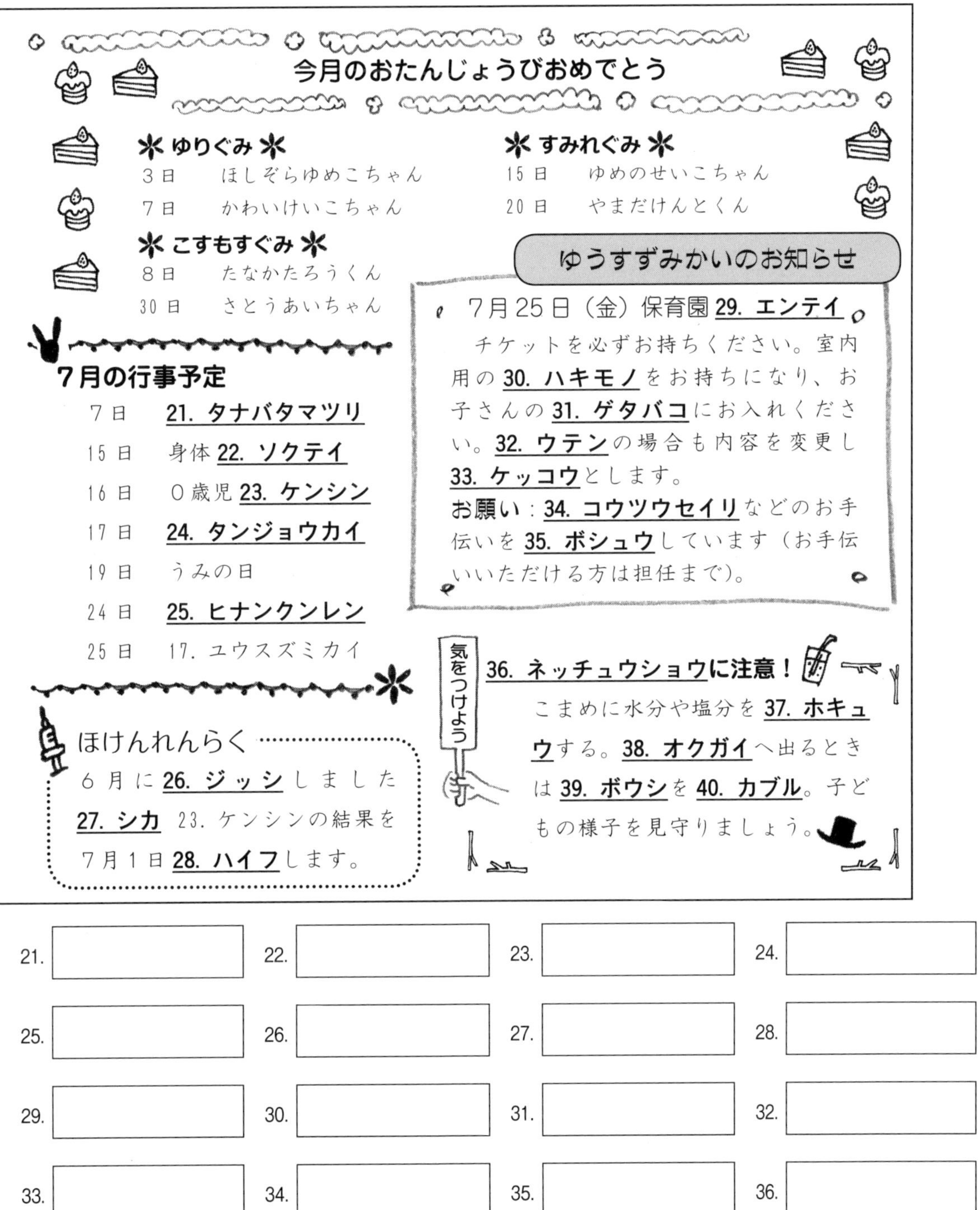
今月のおたんじょうびおめでとう
ゆりぐみ
３日　ほしぞらゆめこちゃん
７日　かわいけいこちゃん
すみれぐみ
15日　ゆめのせいこちゃん
20日　やまだけんとくん
こすもすぐみ
８日　たなかたろうくん
30日　さとうあいちゃん
ゆうすずみかいのお知らせ
7月25日（金）保育園29. エンテイ
チケットを必ずお持ちください。室内用の30. ハキモノをお持ちになり、お子さんの31. ゲタバコにお入れください。32. ウテンの場合も内容を変更し33. ケッコウとします。
お願い：34. コウツウセイリなどのお手伝いを35. ボシュウしています（お手伝いいただける方は担任まで）。
7月の行事予定
７日　21. タナバタマツリ
15日　身体22. ソクテイ
16日　０歳児23. ケンシン
17日　24. タンジョウカイ
19日　うみの日
24日　25. ヒナンクンレン
25日　17. ユウスズミカイ
気をつけよう
36. ネッチュウショウに注意！
こまめに水分や塩分を37. ホキュウする。38. オクガイへ出るときは39. ボウシを40. カブル。子どもの様子を見守りましょう。
ほけんれんらく
６月に26. ジッシしました27. シカ 23. ケンシンの結果を７月１日28. ハイフします。

21.	22.	23.	24.
25.	26.	27.	28.
29.	30.	31.	32.
33.	34.	35.	36.
37.	38.	39.	40.

STEP 12 掲示板

次の掲示板のカタカナを漢字に直してみよう。
送り仮名がある場合は送り仮名も書いてみよう。

幼稚園や保育所、認定こども園では連絡帳や園便りのほかに、保護者への情報の伝達に園内の掲示板も利用しています。通常、クラスごとにその日の子どもたちの様子や保護者へのお知らせなどを掲示しています。

すみれぐみ　5歳

いよいよ**1. タンジョウ**会が近づいてきました。子どもたちが話し合いながら進めています**2. ゲキカツドウ**の**3. ジュンビ**を行いました。お客さんが**4. マヨワナイ**ように**5. シテイセキ**のチケットやチラシ作成をしました。

おしらせ

2. ゲキカツドウで使用する**6. コドウグ**の**7. セイサク**のための**8. ハイザイ**をお持ちください（**9. ホウソウシ**、空き箱、ラップの**10. シン**、新聞紙など）。

ももぐみ　1歳児

土曜日の運動会にはご協力ありがとうございました。ももぐみの小さな赤ちゃんにとっても、目の前で**11. クリヒロゲ**られた運動会は**12. インショウテキ**だったようで、**13. ネンレイサ**のある年長の使用していた**14. トビバコ**の**15. フミキリバン**によじ登ろうとしたり、**16. コウハク**の玉入れをしていた４歳クラスに**17. マジッテ**、玉を**18. ニギッテ**にこにこ顔。参加している気分を**19. アジワイ**ました。今日は、園庭遊びが多く、着替えをしたため、**20. センタクモノ**が多く申し訳ありませんが、よろしくお願いいたします。

1.		2.		3.		4.	
5.		6.		7.		8.	
9.		10.		11.		12.	
13.		14.		15.		16.	
17.		18.		19.		20.	

本書参考文献

（著者五十音順）

・秋田喜代美、三宅茂夫監修『シリーズ 知のゆりかご 子どもの姿からはじめる領域・健康』みらい、2020
・阿部和子編『改訂 乳児保育の基本』萌文書林、2019
・阿部和子、前原寛、久富陽子、梅田優子『改訂 保育内容総論―保育の構造と実践の探求』萌文書林、2019
・磯部裕子他『幼稚園・保育所実習のための保育実技ハンドブック』萌文書林、2002
・上田玲子編『子どもの食生活と保育―小児栄養』 樹村房、2005
・楳田久美子他『保育所給食とおやつのつくり方』フレーベル館、1983
・大場牧夫『表現原論』萌文書林、1996
・岡田正章、千羽喜代子他編『現代保育用語辞典』フレーベル館、1997
・岡本夏木、清水御代明、村井潤一監修『発達心理学辞典』ミネルヴァ書房、1997
・小櫃智子、守巧、佐藤恵、小山朝子『幼稚園・保育所・認定こども園実習パーフェクトガイド』わかば社、2017
・小保内俊雅、五島弘樹、遠藤郁夫、帆足英一、仁志田博司「保育施設内で発生した死亡事案」日本小児科学会雑誌（118巻11号）、2014
・河合貞子編著『乳児保育―実践的アプローチ－』建帛社、2002
・厚生労働省「授乳・離乳の支援ガイド（2019年改訂版）」2019
・厚生労働省「保育所における感染症対策ガイドライン（2018年改訂版）」2021（一部改訂）
・厚生労働省「保育所におけ自己評価ガイドライン（2020年改訂版）」2020
・厚生労働省『保育所保育指針解説』フレーベル館、2018
・巷野悟郎監修『最新 保育保健の基礎知識』（第8版改訂）日本小児医事出版社、2013
・小林育子、民秋言編著『園長の責務と専門性の研究』萌文書林、2012
・佐々木正美『子どもへのまなざし』福音館書店、1998
・宍戸健夫他『ごっこ・劇遊び・鬼ごっこ』水曜社、1989
・宍戸健夫他『土・砂・水・積木あそび』水曜社、1989
・柴崎正行、戸田雅美、増田まゆみ編『保育課程・教育課程総論』ミネルヴァ書房、2010
・主婦と生活社編『最新家庭の医学百科』主婦と生活社、2003
・相馬和子、中田カヨ子編『実習日誌の書き方』萌文書林、2011
・大学院入試問題分析チーム編『臨床心理士・指定大学院合格のための心理学キーワード辞典 改訂版』オクムラ書店、2008
・田中まさ子編『幼稚園・保育所実習ハンドブック』みらい、2004
・民秋言『保育所 発達過程に着目した指導計画のすべて』フレーベル館、2010
・千羽喜代子、長山篤子、帆足暁子、永田陽子、青木泰子『思いやりが育つ保育実践』萌文書林、2005
・中央法規出版編集部編『平成24年版 保育所運営ハンドブック』中央法規出版、2012
・中央法規出版編集部編『六訂 社会福祉用語辞典』中央法規出版、2012
・東京都福祉保健財団研修資料「乳幼児の健康管理」「乳幼児の栄養と食事」2009
・戸田雅美編著『演習保育内容 言葉』建帛社、2009
・戸田雅美、佐伯一弥編『幼児教育・保育課程論』建帛社、2011
・日本体育協会監修『スポーツ用語事典』ぎょうせい、1975
・平井信義『子ども中心保育のすべて』企画室、1994
・平井信義、本吉圓子『「いじめ」と幼児期の子育て』萌文書林、1996
・開仁志編著『実習日誌の書き方―幼稚園・保育所・施設実習完全対応』一藝社、2012
・保育士試験対策委員会『保育士完全合格テキスト上 2012年版』翔泳社、2012
・ミネルヴァ書房編集部編『保育小六法 2013』ミネルヴァ書房、2013
・無藤隆監修『解説＆実例アドバイス　幼稚園教育要領ハンドブック 2008年告示版』学習研究社、2008
・毛利子来、山田真『育育辞典』「病気編」「暮らし編」岩波書店、2007
・森上史朗監修『最新保育資料集 2013』ミネルヴァ書房、2013
・森上史朗、柏女霊峰編『保育用語辞典』ミネルヴァ書房、2010（第6版）、2013（第7版）
・山内昭道監修『子育て支援用語集』同文書院、2005
・山本多喜司監修『発達心理学用語辞典』北大路書房、1999
・ユーキャン保育士試験研究会『ユーキャンの保育士速習レッスン（上）』自由国民社、2011
・リチャード・ダン、永田佳之監訳、神田和可子他訳『ハーモニーの教育―ポスト・コロナ時代における世界の新たな見方と学び方』山川出版社、2020

著者紹介

※執筆担当は、もくじ内に記載

長島 和代（ながしま かずよ）　元小田原女子短期大学（現：小田原短期大学）教授

大正大学文学部社会学科社会事業専攻卒業、明治学院大学大学院文学研究科社会福祉学専攻修了（社会学修士）、大正大学助手、なごみ保育園園長、横浜国際福祉専門学校児童福祉学科長、野川南台保育園園長、小田原女子短期大学教授・学科長、ほうあんふじ施設長、学校法人弘徳学園豊岡短期大学通信教育部非常勤講師を経て、時宗真光寺勤務。2022 年 4 月に他界。

主な著書：『幼稚園・保育所・施設実習ワーク』（共著、萌文書林）、『今に生きる保育者論』（共著、みらい）、『最新保育講座保育実習』（共著、ミネルヴァ書房）、『日常の保育を基盤とした子育て支援―子どもの最善の利益を護るために』（共著、萌文書林）、他多数。

（※著者五十音）

石丸 るみ（いしまる るみ）　大阪総合保育大学　准教授

白梅学園大学大学院子ども学研究子ども学専攻修士課程修了、東京都公立保育所保育士、こころの保育園文京西方保育園園長、東京保育専門学校専任教員、十文字学園女子大学非常勤講師等を経て、現職。日本環境協会エコマーク乳幼児用品基準策定委員。

主な著書：『先生ママみたい』（共著、萌文書林）、『日常の保育を基盤とした子育て支援―子どもの最善の利益を護るために』（共著、萌文書林）、『保育専科―指導計画と指導の実際』（フレーベル館）、『今、この子は何を感じている？―０歳児の育ちを支える視点』（共著、ひかりのくに）、他。

亀﨑 美沙子（かめざき みさこ）　十文字学園女子大学　准教授

神戸大学大学院人間発達環境学研究科修了（教育学博士）。東京都江東区子ども家庭支援センター非常勤職員、東京家政大学家政学部助教、松山東雲短期大学講師を経て、現職。

主な著書：『子育て支援における保育者の葛藤と専門職倫理―「子どもの最善の利益」を保障するしくみの構築にむけて』（単著、明石書店）、『保育の専門性を生かした子育て支援―子どもの最善の利益をめざして』（単著、わかば社）、『最新保育士養成講座第 10 巻 子ども家庭支援―家庭支援と子育て支援』（共著、全国社会福祉協議会）、『よくわかる家庭支援論（第2版）』（共著、ミネルヴァ書房）、他。

木内 英実（きうち ひでみ）　駒沢女子大学　教授

日本女子大学大学院文学研究科日本文学専攻博士課程後期修了、日本大学国際関係学部副手、小田原女子短期大学准教授、東京都市大学准教授を経て、現職。博士（文学）。

主な著書：『神仏に抱かれた作家・中勘助―印度哲学からのまなざし』（単著、三弥井書店）、『伸び支度』（共著、おうふう）、『小説の中の先生』（共著、おうふう）、『私と私たちの物語を生きる子ども』（共著、フレーベル館）、他。

執筆協力者　二宮祐子（自閉症スペクトラム障害、column「気になる子どもとは」執筆）
協　力　者　楢木絢花

● 本文イラスト　山岸　史
● 装　丁　タナカアン

改訂２版　これだけは知っておきたい
わかる・書ける・使える　**保育の基本用語**
漢字練習シート付

2013 年 12 月 9 日　初版発行
2017 年 12 月 18 日　改訂版発行
2021 年 11 月 30 日　改訂 2 版発行
2024 年 3 月 3 日　改訂 2 版 3 刷発行

編　　者　長 島 和 代
発 行 者　川 口 直 子
発 行 所　（株）わかば社

〒 173-0004　東京都板橋区板橋 2-46-12
tel(03)6905-6880 fax(03)6905-6812
(URL)https://www.wakabasya.com
(e-mail)info@wakabasya.com

印刷 / 製本　シ ナ ノ 印 刷（株）

ISBN 978-4-907270-34-6 C3037